JN492884

가스펠 프로젝트

The Gospel Project for Kids

is published quarterly by LifeWay Christian Resources,
One LifeWay Plaza, Nashville, TN 37234, Thom S. Rainer, President

가스펠 프로젝트

구약 **6**

돌아온 하나님의 백성

저학년 교사용

지은이 · LifeWay Kids
옮긴이 · 이선주
감수 · 김도일, 김병훈, 이희성

초판 발행 · 2018. 1. 15
3쇄 발행 · 2023. 2. 17
등록번호 · 제1988-000080호
등록된 곳 · 서울특별시 용산구 서빙고로65길 38
발행처 · 사단법인 두란노서원
영업부 · 02) 2078-3352, 3452, 3752, 3781 FAX 080-749-3705
편집부 · 02) 2078-3437
표지디자인 · 더그램
활동연구 · 김찬숙, 박현진, 이경선, 이다솔, 한승우

책값은 뒤표지에 있습니다.
ISBN 978-89-531-3034-0 04230 / 978-89-531-2700-5 (세트)

홈페이지 · gospelproject.co.kr / **두란노몰** · mall.duranno.com

두란노서원은 바울 사도가 3차 전도 여행 때 에베소에서 성령 받은 제자들을 따로 세워 하나님의 말씀으로 양육하던 장소입니다.
사도행전 19장 8-20절의 정신에 따라 첫째 목회자를 돕는 사역과 평신도를 훈련시키는 사역,
둘째 세계선교TM와 문서선교단행본·잡지 사역, 셋째 예수문화 및 경배와 찬양 사역, 그리고 가정·상담 사역 등을 감당하고 있습니다.
1980년 12월 22일에 창립된 두란노서원은 주님 오실 때까지 이 사역들을 계속할 것입니다.

가스펠 프로젝트

The Gospel Project for Kids

가스펠 프로젝트

구약 6

돌아온 하나님의 백성

저학년 교사용

지은이 · LifeWay Kids
옮긴이 · 이선주
감수 · 김도일, 김병훈, 이희성

초판 발행 · 2018. 1. 15
2쇄 발행 · 2021. 7. 23
등록번호 · 제1988-000080호
등록된 곳 · 서울특별시 용산구 서빙고로65길 38
발행처 · 사단법인 두란노서원
영업부 · 02) 2078-3352, 3452, 3752, 3781 FAX 080-749-3705
편집부 · 02) 2078-3437
표지디자인 · 더그램
활동연구 · 김찬숙, 박현진, 이경선, 이다솔, 한승우

책값은 뒤표지에 있습니다.
ISBN 978-89-531-3034-0 04230 / 978-89-531-2700-5 (세트)

홈페이지 · gospelproject.co.kr / **두란노몰** · mall.duranno.com

차례

이렇게 활용해 보세요! 4 / 발간사 6 / 감수사 7 / 추천사 9

1단원 보호하시는 하나님

1
다니엘과 친구들이 하나님께 순종했어요
12

2
사드락, 메삭, 아벳느고를 구하셨어요
20

3
다니엘을 구하셨어요
28

4
하나님의 백성을 고향으로 데려오셨어요
36

5
성전을 다시 지었어요
46

2단원 공급하시는 하나님

6
에스더를 왕비로 세우셨어요
56

7
에스더를 통해 하나님의 백성을 구하셨어요
64

8
느헤미야가 예루살렘의 소식을 들었어요
74

9
예루살렘 성벽을 다시 세웠어요
84

10
에스라가 하나님의 율법을 읽었어요
92

11
말라기가 하나님의 말씀을 전했어요
100

복음 초청 가이드 45 / 칼럼 73, 83, 110 / 커리큘럼 112

이렇게 활용해 보세요!

1 단원 개요 · 각 과의 목표

- '가스펠 프로젝트'(하나님의 구원 계획)의 연대기적 큰 흐름 속에서 각 단원과 각 과의 주제를 살펴봅니다.

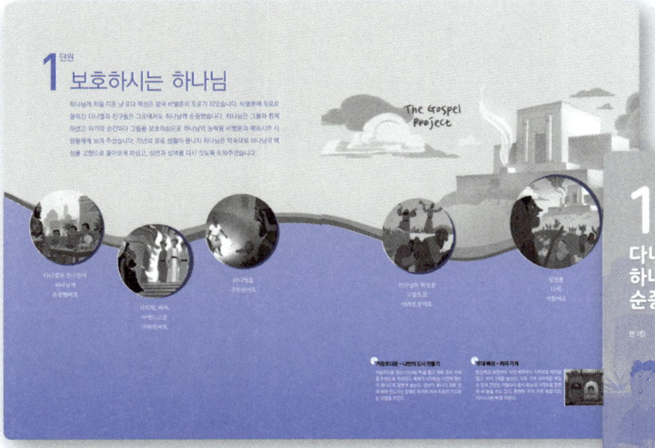

DVD **카운트다운** 단원별로 제공되는 3분 카운트다운 영상(지도자용 팩)으로, 장소를 옮기거나 시간을 구분 짓는 방법으로 활용할 수 있습니다.

DVD **무대 배경** 단원별 설교의 도입(들어가기)에서 공통적으로 활용할 수 있는 무대 데코 아이디어로, 배경 이미지(지도자용 팩)를 화면에 띄워 사용할 수 있습니다.

단원 암송 단원의 핵심 메시지가 담긴 성경 구절입니다.

성경의 초점 본문과 관련된 성경의 중심 주제(핵심 교리)를 문답의 형식으로 정리한 문장입니다. 단원의 성경의 초점을 익히며 성경의 흐름을 이해하게 합니다.

주제 각 과의 핵심 줄거리를 파악할 수 있습니다.

가스펠 링크 성경 이야기에 담긴 복음을 발견하게 합니다. 모든 성경 이야기는 그리스도와 연결됩니다.

본문 속으로 각 과를 준비하며 묵상할 내용과 티칭 포인트를 제시합니다. 청장년용 《가스펠 프로젝트》로 교사 소그룹 모임에서 더 깊은 묵상을 나누며 성경 읽기를 병행할 것을 권유합니다. 부모 소그룹 모임은 교회와 가정을 연계해 교육 효과를 더욱 높여 줄 것입니다.

교사 지도 가이드 영상 교사들이 각 과의 내용과 아이들에게 전달해야 할 핵심을 쉽게 파악할 수 있도록 짧은 예시와 함께 개요를 소개하고 교사를 독려합니다. 홈페이지(gospelproject.co.kr)에서 무료로 활용할 수 있습니다.

2 말씀 묵상

- 말씀을 묵상하며 어떻게 가르칠 것인가를 기도로 준비합니다.

DVD **이야기 성경** '가스펠 설교'에서 사용하는 구어체 설교입니다. 같은 내용의 영상이 지도자용 팩에 있습니다.

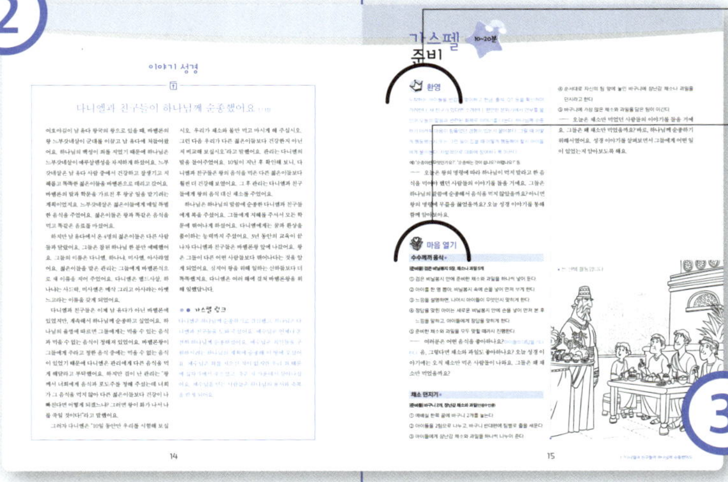

환영 아이들을 맞이하며 나눌 수 있는 대화의 소재를 제안합니다.

마음 열기 이 과의 주제와 연결된 간단한 게임 활동을 소개합니다.

3 가스펠 준비

- 사전 활동을 살펴봅니다.

④ 가스펠 설교

● **도입 - 전개 - 가스펠 링크 - 복음 초청 - 적용**에 이르는 설교 가이드입니다.

들어가기 도입 아이디어를 소개합니다.

복음 초청 매주 복음을 전하고 영접 기도를 이끌 수 있는 초청 대화를 담았습니다.

찬양 단원 주제를 담은 찬양, 악보, 율동을 지도자용 팩, 가스펠 프로젝트 홈페이지에서 만날 수 있습니다.

적용 에피소드를 담은 영상과 질문이 담겨 있습니다. 설교 도입이나 적용 부분에서 활용하거나 영상을 본 뒤 소그룹에서 풍성한 대화를 이어 가는 방법도 추천합니다.

연대표 가스펠 프로젝트(하나님의 구원 계획)의 큰 흐름 속에서 각 과의 위치를 파악해 봅니다.

가스펠 소그룹 ⑤

● 예배 후 소그룹 모임에서 배운 내용을 되새길 수 있는 다양한 활동을 소개합니다.

보물 상자 성경의 메시지와 내 삶을 연결해 보고, 하나님과 일대일 대화를 나누듯 마음을 고백하는 마무리 활동입니다.

나침반 재미있는 게임 활동으로 단원 암송을 익히게 합니다. 부록의 단원 암송 자료와 지도자용 팩의 파일을 활용할 수 있습니다.

보물 지도 퀴즈와 게임을 통해 성경 이야기를 복습하는 활동입니다.

탐험하기 성경 이야기의 의미를 묵상하며 주제, 가스펠 링크, 성경의 초점 등을 되새기는 확장 활동입니다.

메시지 카드 각 과의 핵심 내용과 가족과 함께하는 활동을 담았습니다.

＊지도자용 팩의 PC 전용 DVD-Rom에 영상, 그림, 음원, 악보, PPT 등의 자료가 있습니다.

● 2017년 3월 28일에 고시된 「외래어 표기법」 일부 개정안에 따라 외래어 뒤에 쓰인 산, 강, 왕 등의 일반 명사는 붙여 쓰는 것으로 표기하였습니다.

발간사

두란노서원을 통해 라이프웨이(LifeWay)의 《가스펠 프로젝트》 성경 공부 교재 시리즈를 발간할 수 있도록 인도하신 하나님께 감사드립니다. 험한 소리로 가득한 세상에 이 책을 다릿돌처럼 놓습니다. 우리 삶은 말씀을 만난 소리로 풍성해져야 합니다. 주님을 만난 기쁨의 소리, 진실 앞에서 탄식하는 소리, 죄를 씻는 울음소리, 소망을 품은 기도 소리로 가득해야 합니다.

《가스펠 프로젝트》는 신구약을 관통하는 예수 그리스도의 복음을 발견하고, 그 가르침을 삶에 적용하는 지혜를 얻도록 기획한 성경 공부 교재입니다. 어린아이부터 어른에 이르기까지 생애 주기에 따른 복음 메시지를 잘 배울 수 있습니다. 또한, 거짓 진리가 미혹하는 이 시대에 건강한 신학과 바른 교리로 말씀을 조명하여 성도의 신앙이 좌로나 우로나 치우치지 않도록 돕습니다.

두란노서원은 지금까지 "오직 성경, 복음 중심, 초교파적 관점"을 바탕으로 한국 교회와 성도를 꾸준히 섬겨 왔습니다. 오직 성경의 정신에 입각해 책과 잡지를 출판해 왔으며, 성경에 근거한 복음 중심의 신학을 포기한 적이 없습니다. 그리고 교단과 교파를 초월하여 교회와 성도가 하나님 나라를 바라볼 수 있도록 돕기 위해 노력해 왔습니다. 《가스펠 프로젝트》는 두란노가 지켜 온 세 가지 가치를 충실하게 담은 책입니다.

성경은 구원을 위한 책이며, 구원사의 주인공은 예수 그리스도입니다. 창세기부터 요한계시록까지 오직 예수 그리스도의 복음만을 전하는 《가스펠 프로젝트》 성경 공부 교재를 통해 복음의 은혜와 진리를 깊이 경험하고, 복음 중심의 삶이 마음 판에 새겨지기를 바랍니다. 그리고 예수 그리스도 복음에 굳게 선 한 사람의 영향력이 가정과 교회와 사회에 흘러감으로써 거룩한 하나님 나라가 확산되어 가기를 소망합니다.

두란노서원 원장 이 형 기

감수사

《가스펠 프로젝트》는 어린이와 청소년 성경 공부를 위한 좋은 교재입니다. 그들이 이해할 수 있는 언어로 성경을 자세히 알 수 있도록 도와주고 있기 때문입니다. 어린이와 청소년의 발달심리에 익숙한 전문가들을 포함해 많은 사람이 참여해 애쓴 흔적이 보입니다.

《가스펠 프로젝트》는 인류를 향한 하나님의 구원 계획인 복음을 다음과 같은 과정으로 설명합니다. "첫째, 하나님은 다스리신다. 둘째, 우리는 죄를 범했다. 셋째, 그러나 하나님은 공급하신다. 넷째, 하나님의 아들 예수 그리스도께서는 우리에게 영생을 주시고 우리를 초청하신다. 다섯째, 우리는 예수님의 초청에 응답해야 한다." 이와 같이 《가스펠 프로젝트》는 복음을 주시는 하나님의 계획에 사람이 어떻게 반응해야 하는지를 간단하게, 그리고 핵심을 놓치지 않고 잘 설명합니다. 그러므로 《가스펠 프로젝트》에 참여하는 교사와 학생은 하나님의 주권과 언약, 신실하심과 사랑을 배우고 깊이 느낄 수 있을 것입니다. 성령의 인도하심에 순종하는 것이 얼마나 복된지 몸소 체험할 수 있을 것입니다.

그때, 그곳에서, 그들에게 주어졌던 하나님의 말씀을 지금, 여기에서, 우리에게 주어지는 하나님의 말씀으로 받아들이고 해석하려면 해석학적 간격(hermeneutical gap)이 존재한다는 점을 유념하고, 말씀을 적절하게 해석해 적용해야 합니다. 하나님의 말씀은 성령의 조명을 받아 학문이 없는 사람도 그 핵심적인 메시지를 이해할 수 있지만, 모든 성경을 자의적으로 해석하는 우를 범해서는 안 됩니다. 《가스펠 프로젝트》는 이러한 해석상의 오류를 최소한도로 줄여 줄 수 있다고 봅니다. 가능하면 말씀에 담긴 메시지를 전달하려고 노력했기 때문입니다. 이런 점에서 《가스펠 프로젝트》는 하나님의 마음을 더 깊이 이해하기 위한 기본적인 성경 지식을 제공해 주고, 말씀의 깊은 샘으로 들어가 맛있는 물을 마실 수 있도록 돕는 좋은 통로입니다.

《가스펠 프로젝트》로 성경을 공부하게 되면 성경 말씀을 사랑하게 될 것입니다. 어린이들과 청소년들도 '말씀이 참 재미있고 유익하구나'라고 느끼게 될 것입니다. 레너드 스윗이 말한 것처럼, 미래 세대는 경험적, 참여적, 이미지 중심적, 연결적(EPIC) 사역을 통해 말씀 속으로 자발적으로 들어와야 거룩한 하나님의 백성이 될 수 있기 때문입니다.

모쪼록 《가스펠 프로젝트》를 통해 모든 세대가 하나님을 더 넓고 깊게 알아 가며, 성령의 도우심 가운데 예수님의 튼실한 제자로 성장하기를 원합니다. 아울러 세상 속에서 하나님 나라를 확장시켜 나가는 하나님의 백성이 되는 기초를 체계적으로 다질 수 있기를 바랍니다. 《가스펠 프로젝트》는 오직 믿음, 오직 성경, 오직 은혜, 오직 그리스도를 통해 하나님께 영광 돌리는 데 큰 도움이 될 것입니다.

김도일 _ 장로회신학대학교, 기독교교육학 교수

《가스펠 프로젝트》는 무엇보다도 전통적으로 교회가 풀어 온 흐름을 충실히 따라 성경을 해설하고 있습니다. 그리고 그 방향은 궁극적으로 예수 그리스도를 향해 나아가고 있습니다. 이것은 예수님이 구약과 신약의 모든 성경이 자신을 가리키고 있다고 하신 말씀에 비추어 매우 타당한 것입니다. 게다가 그리스도 중심적 해설을 무리하게 전개하지 않습니다. 각 본문에서 하나님의 구원 언약과 그것을 실현하시는 하나님을 드러내면서, 그리스도의 예표적 설명이 가능한 사건을 놓치지 않고 풀어내고 있습니다.

성경 공부 교재는 명시적으로 혹은 암시적으로 제시하

는 교리적 진술이 교리 체계상 건전해야 합니다. 《가스펠 프로젝트》는 99개 조에 이르는 핵심 교리들을 일목요연하게 제시하여 교리의 건전성을 확인할 수 있도록 도움을 줍니다. 《가스펠 프로젝트》의 교리는 교파를 막론하고, 예수 그리스도의 복음에 충실한 복음주의 교회들에게 환영받을 만합니다. 물론 교파마다 약간의 이견을 갖는 부분들이 있을 수 있겠지만, 각 교회에서 교재를 활용하는 데에 무리가 없을 것입니다. 《가스펠 프로젝트》의 특징은 각 과에서 학습한 내용을 핵심 교리와 연결해 주며, 그 결과 그리스도의 복음에 관련한 교리적 이해를 강화시킨다는 데에 있습니다.

끝으로 《가스펠 프로젝트》는 어떤 성경 주해서나 교리 학습서가 갖지 못하는 훌륭한 장점을 가지고 있습니다. 그것은 학습자를 하나님과 그리스도의 복음 앞으로 이끌며, 자신의 신앙과 삶을 돌아보도록 하는 적용의 적실성과 훈련의 효과입니다. 아울러 본문과 관련한 교회사적으로 또 주석적으로 중요한 신학자와 목사의 어록을 제시하고, 심화 토론을 위한 질문을 달아 주고, 선교적 안목을 열어 주는 적용 질문들을 더해 준 것은 《가스펠 프로젝트》에서 얻을 수 있는 커다란 유익입니다.

추천할 만한 마땅한 성경 공부 교재를 찾기가 쉽지 않은 현실에서 《가스펠 프로젝트》는 성경을 개괄적으로 매주 한 과씩 3년의 기간 동안 일목요연하게, 그리고 그리스도 중심적으로 공부하도록 이끌어 준다는 점에서, 한국 교회의 기초를 성경 위에 놓는 일에 커다란 공헌을 할 것으로 믿어 의심치 않습니다.

김병훈 _ 합동신학대학원대학교 조직신학 교수

"보라 날이 이를지라 내가 기근을 땅에 보내리니 양식이 없어 주림이 아니며 물이 없어 갈함이 아니요 여호와의 말씀을 듣지 못한 기갈이라"(암 8:11). 주전 8세기 아모스 선지자의 외침이 오늘 이 시대에 다시 메아리쳐 오고 있습니다. 두란노의 《가스펠 프로젝트》는 성도들이 겪고 있는 영적인 갈증과 혼란을 해소해 줄 수 있는 유익한 성경 공부 교재입니다.

첫째, 《가스펠 프로젝트》는 성경 전체 흐름과 문맥에 따라 구성되어 성경의 큰 그림을 볼 수 있도록 도와줍니다. 또 성경 각 본문의 의미를 깊이 이해할 수 있도록 해당 분야의 전문 성경 신학자들의 주석적 견해를 잘 소개하고 있습니다. 둘째, 본문 연구와 함께 관련 핵심 교리들을 적절하게 소개하여 성경과 교리를 연결할 수 있습니다. 또 모든 과에서 그리스도와의 연결점을 찾아 제시함으로써 구약 본문을 통해서도 복음을 깨달을 수 있습니다. 성경 공부 전 과정을 마치면 성도들이 복음에 대한 견고한 믿음을 가지게 될 것입니다. 셋째, 성경 공부 적용의 초점을 선교에 맞추어 성도들이 삶의 현장에서 복음의 증인으로서의 사명을 감당할 수 있게 도와줍니다. 마지막으로 주일학교에서 장년에 이르기까지 동일한 주제와 본문으로 성경을 공부하도록 구성하였기 때문에 모든 교인이 한 말씀 안에서 한 믿음의 공동체를 이루며 성숙해 가는 영적 부흥을 경험하게 될 것입니다.

두란노의 《가스펠 프로젝트》를 통해 말씀이 갈급한 기근의 시대에 영적 해갈의 기쁨을 경험하시기 바랍니다.

이희성 _ 총신대학교 신학대학원 구약학 교수

추천사

우리를 향한 하나님의 멈추지 않는 사랑, 아들을 내어 주신 아버지 하나님의 놀라운 구원 계획에 눈뜨게 하는 교재입니다. 성경을 꿰뚫는 변함없는 메시지, 예수 그리스도를 만날 수 있는 교재입니다. 유익한 활동과 흥미로운 반복 학습을 통해 기독교 핵심 주제를 접하고, 말씀을 가까이하며, 가족과 묵상을 나누도록 이끄는 방식에 기대가 큽니다. 다양한 소재의 영상과 그림 자료는 시청각 자료가 부족한 교육 현장에 큰 활력을 불어넣어 줄 것입니다. 교재 내용에 맞게 창작된 찬양은 곡조가 있는 산 기도를 체험하게 도와줄 것입니다. 무미건조한 습관적 예배, 아이들과 소통하지 못해 안타까워했던 부모와 교사, 다음 세대를 걱정하는 교회 지도자들에게 이 교재를 추천합니다.

김요셉 _ 중앙기독학교 교목, 원천침례교회 목사

우리 시대의 전 세계적 교회 부흥은 두 가지 샘을 갖고 있습니다. 한 샘은 오순절 부흥 운동의 샘입니다. 이 샘으로 많은 시대의 목마른 영혼들이 목마름을 해갈했습니다. 또 하나의 샘은 성경 연구의 샘입니다. 남침례교 주일학교 운동은 이 샘의 개척자입니다. 이 샘으로 지금도 많은 성도가 목마름을 해갈하고 있습니다. 미국 남침례교 라이프웨이 출판사는 성경 연구를 돕는 사역을 충실히 감당해 왔습니다. 《가스펠 프로젝트》는 목마른 영혼들의 필요를 공급하는 원천이 될 것입니다. 《가스펠 프로젝트》는 쉬우면서도 결코 피상적이지 않습니다. 믿음의 단계를 따라 하나님의 자녀들에게 꼭 필요한 복음의 진수를 맛보게 해 줄 것입니다.

이동원 _ 지구촌교회 원로 목사, 지구촌 미니스트리 네트워크 대표

성경을 공부한다는 것은 성경에 기록된 사실을 배우는 것이 아니라 성경이 가르치는 교리를 배우는 것입니다. 왜냐하면 성경은 독자에게 어떤 새로운 정보를 주기 위해 인간이 쓴 책이 아니라 죄인인 인간에게 구원을 주기 위해 하나님이 쓰신 말씀이기 때문입니다. 그런데 이 구원의 도리인 교리를 성경 본문을 통해 배우기가 쉽지 않기 때문에 좋은 안내서가 필요합니다. 이번에 출간된《가스펠 프로젝트》는 이와 같은 역할을 탁월하게 수행하고 있기 때문에 기쁜 마음으로 추천합니다.

이성호 _ 고려신학대학원 역사신학 교수

성경은 예수 그리스도를 중심으로 하는 하나님의 구원 이야기입니다. 《가스펠 프로젝트》는 성경이 어떻게 그리스도와 연결되어 있는지, 또 성도의 삶이 하나님의 구원 계획에 어떻게 연결되어야 하는지를 구체적으로 제시합니다. 특히 《가스펠 프로젝트》는 하나의 본문으로 각 연령에 맞게 구성한 교재를 제공해 하나의 본문으로 전 세대를 연결하고, 가정과 교회를 하나 되게 합니다. 신앙의 전수가 중요한 시대에 성도와 교회와 가정이 한마음으로 다음 세대를 준비시키기에 적합합니다. 특히 가정에서 부모가 자녀와 말씀으로 대화를 나눌 수 있게 해 자녀의 신앙 교육에 도움이 될 것입니다.

이재훈 _ 온누리교회 담임 목사

교회학교가 어렵다는 말이 많이 들립니다. 아이들이 교회에 다녀 주고 있습니다. 이는 자기 신앙으로 교회를 다니는 것이 아니라 부모의 눈치를 보며 다녀 주고 있다는 말입니다. 이 문제를 해결하려면 자기 신앙을 만들어 주어야 합니다. 자기 신앙은 하나님과 예수님, 죄 등에 대해 스스로 고민하고, 생각하고, 판단하고, 결정하는 과정이 있어야 생깁니다. 이런 시점에 어린이 눈높이에 맞추어 게임과 퀴즈 등으로 복음 메시지를 심어 주는 교재가 출간되어 반갑습니다. 충분한 대화와 토론을 통해 아이가 스스로 신앙에 대해 고민해서 주님의 은혜 안에 성숙해 가는 일이 많아지기를 기대합니다.

전성수 _ 부천대학교 유아교육과 교수, 하브루타교육협회 회장

1 단원
보호하시는 하나님

하나님께 죄를 지은 남 유다 백성은 결국 바벨론의 포로가 되었습니다. 바벨론에 포로로 끌려간 다니엘과 친구들은 그곳에서도 하나님께 순종했습니다. 하나님은 그들과 함께 하셨고 위기의 순간마다 그들을 보호하심으로 하나님의 능력을 바벨론과 페르시아 사람들에게 보여 주셨습니다. 70년의 포로 생활이 끝나자 하나님은 약속대로 하나님의 백성을 고향으로 돌아오게 하셨고, 성전과 성벽을 다시 짓도록 도와주셨습니다.

다니엘과 친구들이
하나님께
순종했어요

사드락, 메삭,
아벳느고를
구하셨어요

다니엘을
구하셨어요

하나님의 백성을
고향으로
데려오셨어요

성전을
다시
지었어요

카운트다운 – 나만의 도시 만들기

카운트다운 영상(지도자용 팩)을 틀고 예배 준비 자세를 취하도록 격려한다. 예배가 시작되는 시간에 영상이 끝나도록 맞추어 놓는다. 영상이 끝나기 30초 전에 예배 인도자는 정해진 위치에 서서 조용히 기도하는 모범을 보인다.

무대 배경 – 피자 가게

빨간색과 하얀색이 섞인 체크무늬 식탁보로 탁자를 덮고, 의자 2개를 놓는다. 피자 가게 내부처럼 보일 수 있게 간단한 이탈리아 음식 메뉴와 가격표를 칠판에 써 놓을 수도 있다. 화면에 '피자 가게' 배경 이미지(지도자용 팩)를 띄운다.

1

다니엘과 친구들이 하나님께 순종했어요

단 1장

단원 암송

그는 때와 계절을 바꾸시며
왕들을 폐하시고 왕들을 세우시며
지혜자에게 지혜를 주시고
총명한 자에게 지식을 주시는도다
(단 2:21).

성경의 초점

어떻게 해야 하나님께 순종할 수 있나요?
하나님이 우리에게 순종할 힘을 주신다고 믿어요.

본문 속으로

하나님의 백성은 경고를 받았습니다. 선지자들이 와서 "죄에서 벗어나 하나님께로 돌아가라!"라고 하나님의 말씀을 전했지만, 사람들은 듣지 않았습니다. 남 유다 왕국은 우상숭배에 빠져들었고, 왕들은 하나님 보시기에 악한 일들을 행했습니다. 결국, 하나님은 경고하신 대로 하나님의 백성을 그들의 땅에서 추방하셨습니다.

강대국인 바벨론의 왕 느부갓네살은 남 유다 왕국의 수도 예루살렘을 정복한 후 하나님의 백성을 바벨론으로 끌고 갔습니다. 이때 다니엘은 유다의 젊은이였습니다. 아마도 그는 이사야 선지자의 경고에 관해 들었을 것입니다. 그리고 예언이 이루어지는 현장을 목격했습니다(사 39:5~7 참조).

느부갓네살은 유다에서 가장 뛰어난 젊은이들을 바벨론으로 데려와 왕궁에서 일하도록 훈련시켰습니다. 이 젊은이 중에 다니엘과 3명의 친구들이 있었습니다. 선택된 젊은이들은 새 이름, 새 교육, 새 문화를 통해 새로운 신분을 받았습니다. 하지만 새로운 환경에서도 다니엘과 하나냐, 미사엘, 아사랴는 계속해서 참된 하나님 한 분에게만 충성했고, 자신을 더럽히지 않기 위해 바벨론 왕의 음식을 먹지 않기로 결심했습니다.

하나님은 다니엘과 친구들을 축복하셨습니다. 하나님께 순종한 다니엘은 느부갓네살의 신임을 얻었고, 그의 삶은 하나님이 세상 만물을 다스리신다는 증거가 되었습니다. 하나님은 포로 생활을 하는 하나님의 백성을 기억하셨고, 그들을 고향으로 데려와 새 왕국을 세우겠다고 약속하셨습니다.

●● 티칭 포인트

아이들에게 다니엘의 이야기를 들려주면서, 순종하기가 쉽지 않을 때도 순종할 힘을 주시는 하나님을 믿어야 한다고 설명해 주십시오. 다니엘보다 600년 후에 등장하신 예수님은 하나님께 완전하게 순종하신 약속된 분이었다는 사실도 말해 주십시오. 언젠가는 예수님이 영원한 왕국을 세우기 위해 돌아오신다는 것을 우리는 믿을 수 있습니다.

주 제

다니엘은 하나님께 순종하기 위해 왕이 정한 음식을 먹지 않았어요.

가스펠 링크

다니엘은 하나님께 순종하기로 결심했고, 하나님은 다니엘과 친구들을 도와주셨어요. 예수님은 언제나 온전히 하나님께 순종하셨어요.

다니엘과 친구들이 하나님께 순종했어요 단 1장

여호야김이 남 유다 왕국의 왕으로 있을 때, 바벨론의 왕 느부갓네살이 군대를 이끌고 남 유다에 쳐들어왔어요. 하나님의 백성이 죄를 지었기 때문에 하나님은 느부갓네살이 예루살렘성을 차지하게 하셨어요. 느부갓네살은 남 유다 사람 중에서 건강하고 잘생기고 지혜롭고 똑똑한 젊은이들을 바벨론으로 데리고 갔어요. 바벨론의 말과 학문을 가르친 후 왕궁 일을 맡기려는 계획이었지요. 느부갓네살은 젊은이들에게 매일 특별한 음식을 주었어요. 젊은이들은 왕과 똑같은 음식을 먹고 똑같은 음료를 마셨어요.

하지만 남 유다에서 온 4명의 젊은이들은 다른 사람들과 달랐어요. 그들은 참된 하나님 한 분만 예배했어요. 그들의 이름은 다니엘, 하나냐, 미사엘, 아사랴였어요. 젊은이들을 맡은 관리는 그들에게 바벨론식으로 새 이름을 지어 주었어요. 다니엘은 벨드사살, 하나냐는 사드락, 미사엘은 메삭 그리고 아사랴는 아벳느고라는 이름을 갖게 되었어요.

다니엘과 친구들은 이제 남 유다가 아닌 바벨론에 있었지만, 계속해서 하나님께 순종하고 싶었어요. 하나님의 율법에 따르면 그들에게는 먹을 수 있는 음식과 먹을 수 없는 음식이 정해져 있었어요. 바벨론 왕이 그들에게 주라고 정한 음식 중에는 먹을 수 없는 음식이 있었기 때문에 다니엘은 관리에게 다른 음식을 먹게 해달라고 부탁했어요. 하지만 겁이 난 관리는 "왕께서 너희에게 음식과 포도주를 정해 주셨는데 너희가 그 음식을 먹지 않아 다른 젊은이들보다 건강이 나빠진다면 어떻게 되겠느냐? 그러면 왕이 화가 나서 나를 죽일 것이다!"라고 말했어요.

그러자 다니엘은 "10일 동안만 우리를 시험해 보십시오. 우리가 채소와 물만 먹고 마시게 해 주십시오. 그런 다음 우리가 다른 젊은이들보다 건강한지 아닌지 비교해 보십시오"라고 말했어요. 관리는 다니엘의 말을 들어주었어요. 10일이 지난 후 확인해 보니, 다니엘과 친구들은 왕의 음식을 먹은 다른 젊은이들보다 훨씬 더 건강해 보였어요. 그 후 관리는 다니엘과 친구들에게 왕의 음식 대신 채소를 주었어요.

하나님은 하나님의 말씀에 순종한 다니엘과 친구들에게 복을 주셨어요. 그들에게 지혜를 주셔서 모든 학문에 뛰어나게 하셨어요. 다니엘에게는 꿈과 환상을 풀이하는 능력까지 주셨어요. 3년 동안의 교육이 끝나자 다니엘과 친구들은 바벨론 왕 앞에 나갔어요. 왕은 그들이 다른 어떤 사람들보다 뛰어나다는 것을 알게 되었어요. 심지어 왕을 위해 일하는 신하들보다 더 똑똑했지요. 다니엘은 여러 해에 걸쳐 바벨론 왕을 위해 일했답니다.

●● 가스펠 링크

다니엘은 하나님께 순종하기로 결심했고, 하나님은 다니엘과 친구들을 도와주셨어요. 예수님은 언제나 온전히 하나님께 순종하셨어요. 예수님은 죄인들을 구원하시려는 하나님의 계획에 순종해 이 땅에 오셨어요. 예수님은 죄를 지으신 적이 없지만 우리 죄 때문에 십자가에서 죽으셨고, 죽은 자 가운데서 살아나셨어요. 예수님을 믿는 사람들은 하나님의 용서와 축복을 받게 되어요.

가스펠 준비

10~20분

환영

도착하는 아이들을 반갑게 맞이하고 헌금, 출석, QT 등을 확인하며 격려한다. 새 친구가 있다면 소개한다. 편안한 분위기에서 안부를 물으며 오늘의 말씀과 관련된 화제로 이야기를 나눈다. 하나님께 순종하기 어려워 마음이 힘들었던 경험이 있는지 물어본다. 그럴 때 어떻게 행동했는지 또는 그런 일이 있을 때 어떻게 행동해야 할지 아이들에게 물어본다. 자발적으로 대화에 참여하도록 이끈다.

예) "순종이란 무엇인가요?", "순종하는 것이 쉽나요? 어렵나요?" 등.

— 오늘은 왕의 명령에 따라 하나님이 먹지 말라고 한 음식을 먹어야 했던 사람들의 이야기를 들을 거예요. 그들은 하나님의 말씀에 순종해서 음식을 먹지 않았을까요? 아니면 왕의 명령에 무릎을 꿇었을까요? 오늘 성경 이야기를 통해 함께 알아보아요.

마음 열기

수수께끼 음식 *

[준비물] 검은 비닐봉지 5장, 채소나 과일 5개

① 검은 비닐봉지 안에 준비한 채소와 과일을 하나씩 넣어 둔다.

② 아이를 한 명 뽑아, 비닐봉지 속에 손을 넣어 만져 보게 한다.

③ 느낌을 설명하면, 나머지 아이들이 무엇인지 맞히게 한다.

④ 정답을 맞힌 아이는 새로운 비닐봉지 안에 손을 넣어 만져 본 후 느낌을 말하고, 아이들에게 정답을 맞히게 한다.

⑤ 준비한 채소와 과일을 모두 맞힐 때까지 진행한다.

— 여러분은 어떤 음식을 좋아하나요? 아이들의 대답을 기다린다. 음, 그렇다면 채소와 과일도 좋아하나요? 오늘 성경 이야기에는 오직 채소만 먹은 사람들이 나와요. 그들은 왜 채소만 먹었을까요?

채소 던지기 *

[준비물] 바구니 2개, 장난감 채소와 과일(인원수만큼)

① 예배실 한쪽 끝에 바구니 2개를 놓는다.

② 아이들을 2팀으로 나누고, 바구니 반대편에 팀별로 줄을 세운다.

③ 아이들에게 장난감 채소와 과일을 하나씩 나누어 준다.

④ 순서대로 자신의 팀 앞에 놓인 바구니에 장난감 채소나 과일을 던지라고 한다.

⑤ 바구니에 가장 많은 채소와 과일을 담은 팀이 이긴다.

— 오늘은 채소만 먹었던 사람들의 이야기를 들을 거예요. 그들은 왜 채소만 먹었을까요? 바로, 하나님께 순종하기 위해서였어요. 성경 이야기를 살펴보면서 그들에게 어떤 일이 있었는지 알아보도록 해요.

*는 선택 활동입니다.

가스펠 설교

15~30분

들어가기

[준비물] 요리사 복장(앞치마, 모자), **탁자, 체크무늬 식탁보, 의자 2개**

요리사 복장을 하고 들어온다.

안녕하세요, 여러분! 세계에서 제일 맛있는 치즈 피자로 유명한 '미스터 로니 피자'에 오신 것을 환영해요! 내 이름은 인도자 이름이고, 이 식당을 운영하지요! 가게 주인 이름이 로니가 아닌데 왜 로니 피자냐고요? 아이들의 대답을 기다린다. 전에 있던 가게 이름을 그대로 썼기 때문이에요. 상황이 어려워진 식당을 제가 사들여 열심히 일으키고 있답니다.

저는 요즘 새로운 채소 피자 요리법을 연구하고 있어요. 며칠 전에 한 손님이 고기가 들어간 음식은 하나도 못 먹는다고 말하더라고요. 그때 깨달았지요. 모든 피자 위에는 고기가 올라간다는 사실을요! 그 말은 고기 때문에 이곳에서 음식을 먹지 않았던 사람들도 고기를 뺀 피자를 만들면 먹을 것이라는 뜻이지요. 그래서 고기가 전혀 들어가지 않는 새로운 피자를 만들기로 했어요! 이 채소 피자 덕에 손님이 더 많아지길 기대하고 있답니다. 채소 피자를 연구하다 보니 채소만 먹었던 다니엘과 친구들의 이야기가 떠올랐어요. 이 성경 이야기가 듣고 싶은가요? 좋아요!

연대표

'어린이를 위한 가스펠 프로젝트_하나님의 구원 계획' 영상(지도자용 팩)을 보여 주고 오늘의 성경 이야기도 하나님의 거대한 구원 계획의 한 부분에 속하는 이야기임을 상기시킨다.

하나님의 백성에게 새로운 지도자가 생겼어요. 마치 제가 이 식당의 새로운 주인이 된 것처럼 말이에요. 하나님은 죄를 지은 하나님의 백성이 고향에서 쫓겨나도록 하셨어요. 그리고 그들은 바벨론의 포로가 되었어요. 오늘의 성경 이야기는 연대표 어디 쯤에 있을까요? 바로 여기예요.

연대표에서 오늘의 성경 이야기를 가리킨다. 바벨론에 포로로 잡혀간 다니엘과 친구들이 어떻게 하나님께 순종했는지 알아보아요.

다니엘과 친구들이 하나님께 순종했어요

사드락, 메삭, 아벳느고를 구하셨어요

다니엘을 구하셨어요

하나님의 백성을 고향으로 데려오셨어요

성전을 다시 지었어요

에스더를 왕비로 세우셨어요

성경의 초점

이번 주 '성경의 초점'의 질문은 무엇일까요? **"어떻게 하나님께 순종할 수 있나요?"**랍니다. 오늘 성경 이야기를 잘 듣고, '성경의 초점'의 질문의 답을 찾아보세요!

성경 이야기

다니엘 1장을 펴고, 설교 영상(지도자용 팩)을 보여 주거나 이야기 성경을 들려준다.

이럴 수가! 세상에서 제일 맛있는 음식들이 가득한 곳에 살면서 채소만 먹는다니, 상상할 수가 없어요! 저는 도무지 그렇게 할 수 없었을 것 같아요! 그런데 다니엘과 친구들은 다른 젊은이들과 다른 선택을 했어요.

다니엘과 친구들은 단지 건강해지기 위해 채소만 먹었던 것이 아니에요. 너무나 맛있는 음식이지만 그 음식을 먹으면 결국 하나님의 말씀에 불순종하게 되는 것을 알았던 것이지요. **다니엘과** 친구들은 **하나님께 순종하기 위해 왕이 정한**

음식을 먹지 않았어요. 그들은 하나님을 의지했어요. 그들은 하나님이 순종할 힘을 주신다고 믿었어요.

하나님은 다니엘과 친구들에게 순종할 힘을 주시고, 다른 젊은이보다 더 아름답고 건강하게 하셨어요. 하나님은 다니엘과 친구들의 순종을 통해 영광을 받으셨어요. 바벨론 왕도 하나님이 그들에게 특별한 방법으로 복을 주신다는 사실을 알게 되었지요.

어떻게 해야 하나님께 순종할 수 있나요? 아이들의 대답을 기다린다. **하나님이 우리에게 순종할 힘을 주신다고 믿어요.** 맞아요. 아주 잘 대답했어요.

다니엘은 무슨 일이 있어도 하나님께 순종하기로 결심했고, 하나님은 다니엘과 친구들에게 복을 주셨어요. 예수님은 언제나 온전히 하나님께 순종하셨어요. 예수님은 죄인들을 구원하시려는 하나님의 계획에 순종해 이 땅에 오셨어요. 예수님은 죄를 지은 적이 없지만 우리 죄 때문에 죽으셨어요. 예수님은 죽은 자 가운데서 살아나셨고, 이제 예수님을 믿는 사람들은 하나님의 용서와 축복을 받아요. 하나님께 순종할 힘을 주시는 것도 큰 복이랍니다!

찬양

구원을 얻으리

여호와는 신실하신 하나님
모든 민족과 역사 주 다스리시네
주의 백성을 다시 일으키시네
주께 순종할 힘 주시네
주가 도와주시네

구원을 얻으리 불 가운데에서도
구원을 얻으리 무서운 사자 굴에서도
신실하신 하나님 나의 힘이 되시네
두려움 나 없으리
구원을 얻으리.

DVD ※지도자용 팩 또는 가스펠 프로젝트 홈페이지(gospelproject.co.kr)에서 이용하세요.

복음 초청

성경과 45쪽 복음 초청 가이드를 이용해서 아이들에게 그리스도인이 되는 법을 설명해 준다. 따로 상담해 줄 사람을 정해 주고 궁금한 점이 있으면 물어보도록 격려한다.

이 시간 예수님을 마음에 모시고 싶은 친구는 함께 기도해요.

기도

하나님, 다니엘과 친구들에게 순종할 힘을 주신 하나님을 찬양합니다. 하나님의 말씀에 순종하겠다고 말하면서도 불순종하는 우리를 용서해 주세요. 다니엘과 친구들처럼 하나님 말씀대로 살아가도록 우리에게 순종할 힘을 주세요. 예수님의 이름으로 기도합니다. 아멘.

적용

TIP 설교 도입이나 적용으로 활용하거나 영상을 본 뒤 소그룹으로 나누어 풍성한 대화를 이어 갈 수 있습니다.

하면 안 되는 일을 해서 마음이 불편했던 적이 있나요? 어떤 기분이 들었는지 생각하며 다음 영상을 함께 보기로 해요.

DVD 적용 예화 영상(지도자용 팩)을 보여 준다.

아이들에게 무엇 때문에 옳은 일 하기가 어려운지 물어본다. 순종하기 어려울 때도 순종하기 위해서는 어떻게 해야 할지 이야기를 나누어 본다.

우리는 살면서 하나님께 영광을 돌릴 수도 있고, 반대로 하나님 말씀에 신경 쓰지 않고 살아갈 수도 있어요. 하지만 예수님을 믿는 자들은 잊지 말아야 할 것이 있어요. 예수님을 믿으면 하나님은 우리를 용서하시고 우리에게 새로운 생명을 주신다는 것이에요. 우리는 하나님께 순종함으로 우리가 하나님을 사랑하고 하나님의 은혜와 능력으로 변화되었다는 사실을 세상에 보여 줄 수 있어야 해요.

가스펠 소그룹

10~20분

나침반

말씀 따라 순종해요

"그는 때와 계절을 바꾸시며 왕들을 폐하시고 왕들을 세우시며 지혜자에게 지혜를 주시고 총명한 자에게 지식을 주시는도다"(단 2:21).

[준비물] 학생용 교재 6쪽, 연필이나 색연필

① 채소 그림을 따라 사다리를 타 보라고 한다.

② 채소 모양이 그려진 빈칸에 알맞은 단어를 넣어 다니엘 2장 21절 말씀을 완성하게 한다.

③ 완성된 성경 구절을 함께 여러 번 읽으며 암송한다.

> 그는 때 와 계절 을 바꾸시며 왕 들을 폐하시고
>
> 왕들을 세우시며 지혜자에게 지혜 를 주시고
>
> 총명한 자에게 지식 을 주시는도다
>
> 다니엘 2장 21절

— 이 성경 구절은 하나님이 모든 일을 책임지신다고 말해요. 하나님은 계절을 바꾸시고, 지혜자에게 지혜를 주시고, 총명한 자에게 지식을 주세요. 하나님은 하나님의 말씀에 순종한 다니엘과 친구들에게 복을 주셨어요. **어떻게 해야 하나님께 순종할 수 있나요? 하나님이 우리에게 순종할 힘을 주신다고 믿어요.**

보물 지도

그려 보는 성경 이야기

[준비물] 성경, 4절지, 연필, 색연필이나 크레파스, 접착테이프

① 아이들을 2팀으로 나누고, 성경에서 다니엘 1장을 찾으라고 한다.

② 각 팀에게 4절지를 한 장씩 주고, 아래에 제시된 장면을 팀별로 나누어 주어 그림을 그리라고 한다.

· 다니엘과 친구들이 바벨론에 포로로 잡혀갔어요. (단 1:1)

· 느부갓네살왕은 유다의 젊은이들을 데려가 바벨론의 학문을 가르쳤어요. (단 1:3~5)

· 다니엘과 친구들은 왕의 음식을 먹지 않게 해달라고 했어요. (단 1:8)

· 다니엘과 친구들은 채소와 물만 먹고 마셨어요. (단 1:12~14)

· 다니엘과 친구들은 왕의 음식을 먹은 사람들보다 건강했어요. (단 1:15~19)

③ 아이들이 완성한 그림을 순서대로 예배실 벽에 붙이고, 함께 감상한다.

④ 그림을 보며 오늘의 성경 이야기를 다시 한 번 아이들과 복습한다.

— 다니엘과 친구들은 하나님의 말씀이 바벨론왕의 명령보다 중요하다는 사실을 알았어요. **다니엘은 하나님께 순종하기 위해 왕이 정한 음식을 먹지 않았어요.** 하나님은 그들에게 순종할 힘을 주셨어요.

탐험하기

그들이 먹은 음식은?

[준비물] 학생용 교재 7쪽, 연필

① 아이들에게 다니엘과 친구들이 어떤 음식을 먹었을지 그림을 그려 보게 한다.

예시

② 다니엘과 친구들이 왜 왕이 준 음식을 먹지 않았는지 답을 찾아 ○표 하게 한다.

다니엘과 친구들은 왜 왕의 음식과 포도주를 먹지 않았을까요?

① 채소를 좋아해서

② 살이 찔 것 같아서

③ 자기를 더럽히지 않기 위해서

④ 왕의 음식이 맛이 없어서

— 다니엘과 친구들은 바벨론왕이 정한 음식을 먹는 것은 곧 자신을 더럽히는 행동이라는 것을 알았어요(단 1:8 참조). 그래서 그 음식 대신 채소와 물만 먹고 마시게 해 달라고 관리에게 부탁했어요. 다니엘과 친구들은 하나님만을 믿고 의지했지요. 하나님의 말씀에 순종하는 다니엘과 친구들처럼 우리에게도 순종할 힘을 달라고 기도하길 바라요.

도장 쾅! 쾅! *

[준비물] 다양한 채소와 과일, 칼, A4용지, 물감, 종이 접시, 사인펜

① 사과, 감자, 당근, 피망, 애호박 등 다양한 채소와 과일을 반으로 잘라 둔다.

② 여러 색깔의 물감을 종이 접시에 각각 짜 놓는다.

③ 아이들에게 종이를 한 장씩 나누어 주고, 채소와 과일의 잘린 단면에 물감을 묻혀 종이에 도장처럼 찍어 보라고 한다.

④ 도장을 찍은 종이에 '성경의 초점'의 질문과 답을 적으라고 한다.

— **다니엘은 하나님께 순종하기 위해 왕이 정한 음식을 먹지 않았어요.** 그는 하나님이 돌보아 주실 것이라고 믿었어요. 우리도 매일 하나님을 따를지, 세상의 방법을 따를지 선택해야 해요. 우리는 우리의 힘만으로는 하나님께 순종할 수 없어요. **어떻게 해야 하나님께 순종할 수 있나요? 하나님이 우리에게 순종할 힘을 주신다고 믿어요.**

순종 씨앗을 심어요 *

[준비물] 화분, 흙, 채소 씨앗, 사인펜

① 아이들에게 화분과 사인펜을 하나씩 나누어 준다.

② 화분 가장자리에 '성경의 초점'의 질문과 답을 쓰게 한다.

③ 흙과 씨앗들을 나누어 주고, 씨앗을 화분에 심으라고 한다.

— 다니엘은 어떤 값을 치르더라도 하나님께 온전히 순종했던 예수님을 떠올리게 해요. 예수님은 우리를 죄에서 구하기 위해 십자가에서 목숨을 버리셨어요. **어떻게 해야 하나님께 순종할 수 있나요? 하나님이 우리에게 순종할 힘을 주신다고 믿어요.**

보물 상자

나만의 기록장

[준비물] 학생용 교재 8쪽, 연필이나 색연필

① 아이들에게 하나님께 순종할지 불순종할지 망설였던 적이 있었는지 물어보고, 그 경험을 글이나 그림으로 표현해 보라고 한다.

② 하나님께 순종하거나 불순종하면 어떻게 될지 이야기를 나누어 본다.

— 우리는 예수님을 믿으면서도 하나님께 순종할지 불순종할지 고민할 때가 많아요. 순종과 불순종 사이에서 고민할 때 하나님께 도와달라고 기도할 수 있어요. 하나님은 우리와 함께하시겠다고 약속하세요. 그리고 **하나님이 우리에게 순종할 힘을 주신다고 믿어요.**

잘못된 선택으로 불순종할 때도 우리는 여전히 하나님께 돌아가 우리의 죄를 고백하고 용서받을 수 있어요. 예수님이 우리를 죄에서 구하기 위해 십자가에서 돌아가시고 다시 살아나셨기 때문이에요. 예수님이 우리를 위해 죄를 물리치셨기 때문에 우리는 하나님께 순종할 수 있어요.

메시지 카드

[준비물] 학생용 교재 73쪽 메시지 카드, 카드 고리, 펀치, 가위

① 카드를 오리고 펀치로 구멍을 뚫어 고리로 연결하게 한다.

② 가방이나 지갑에 고리를 끼워 항상 휴대하면서 오늘 배운 성경 이야기를 수시로 기억하게 하고, 가족과도 함께 나눌 수 있도록 격려한다.

기도

하나님, 언제나 우리를 보호해 주시는 하나님을 찬양합니다. 우리를 죄에서 구원하기 위해 예수님을 보내 주셔서 감사합니다. 예수님이 십자가에서 죽기까지 순종하셨던 것처럼, 우리도 언제나 하나님께 순종하는 자녀가 되기를 원합니다. 하나님을 더 사랑하고, 하나님의 말씀을 잘 따를 수 있도록 우리에게 힘을 주세요. 예수님의 이름으로 기도합니다. 아멘.

2

사드락, 메삭, 아벳느고를 구하셨어요

단 3장

단원 암송

그는 때와 계절을 바꾸시며
왕들을 폐하시고 왕들을 세우시며
지혜자에게 지혜를 주시고
총명한 자에게 지식을 주시는도다
(단 2:21).

성경의 초점

어떻게 해야 하나님께 순종할 수 있나요?
하나님이 우리에게 순종할 힘을 주신다고 믿어요.

본문 속으로

바벨론의 왕 느부갓네살은 황금으로 커다란 신상을 만들었습니다. 그러고는 사람들에게 음악 소리가 들리면 신상에 엎드려 절하라고 명령을 내렸습니다. 이 명령을 어기는 사람에 대한 형벌은 엄중했습니다. "누구든지 엎드려서 절하지 아니하는 자는 즉시 맹렬히 타는 풀무불에 던져 넣으리라(단 3:6)"라고 했습니다.

사람들은 음악이 들릴 때마다 황금 신상에 엎드려 절했습니다. 그러나 모든 사람이 그랬던 것은 아닙니다. 사드락, 메삭, 아벳느고는 신상에 절하지 않았습니다. 그들은 참된 하나님 한 분만을 사랑하고 예배했습니다. 하나님만이 예배를 받으셔야 했기 때문입니다.

이 사실을 알게 된 바벨론의 점성술사와 꿈을 해석하는 사람, 점쟁이들은 왕에게 가서 사드락, 메삭, 아벳느고에 관해 이야기했습니다(단 3:8~12 참조). 왕의 명령을 지키지 않은 세 사람에게 죽음의 위협이 닥쳤지만, 그들은 하나님에 대한 충성을 버릴 수 없었습니다. 그래서 그들은 꽁꽁 묶여서 불 속에 던져질 때도 당당할 수 있었습니다.

그 때 기적과 같은 일이 일어났습니다. 느부갓네살은 불 속에 3명이 아닌 4명이 있는 것을 보고 놀라 일어났습니다! 몸이 묶이지 않은 네 사람이 뜨거운 불 속에서도 전혀 화상을 입지 않은 채 걸어 다니고 있었습니다! 하나님은 사드락, 메삭, 아벳느고를 구했을 뿐 아니라 그들과 함께하셨습니다.

사람들은 십자가에 달린 예수님을 향해 "그가 남은 구원하였으되 자기는 구원할 수 없도다(막 15:31)"라고 말하며 비웃었습니다. 예수님은 자신을 구하지 못하신 것이 아니었습니다. 예수님은 하나님의 뜻을 따르기로 선택하셨고, 또 죄인들을 사랑하셨기 때문에 스스로 십자가에 달리신 것입니다. 예수님은 사람들을 구원하기 위해 자신을 구하지 않기로 선택하셨습니다.

티칭 포인트

성경 이야기를 들려주면서 아이들이 여러 가능성을 생각해 보도록 이끌어 주십시오. 하나님은 사드락, 메삭, 아벳느고 세 사람이 불구덩이에 던져지지 않게 하실 수 있었습니다. 설사 그들이 불구덩이에서 죽는다 해도 하나님은 그들을 천국으로 부르셨을 것입니다. 그들은 하나님을 믿었기 때문에 무슨 일이 있어도, 온몸이 꽁꽁 묶여 불 속에 던져질 때조차도 당당할 수 있었음을 알려 주십시오. 그리고 하나님께서 그들을 구하신 것처럼, 예수님을 통해 우리를 구원하셨음을 알려 주십시오.

주 제

하나님은 불 속에 던져진 사드락, 메삭, 아벳느고와 함께하셨고, 그들을 구해 주셨어요.

가스펠 링크

하나님만이 사드락, 메삭, 아벳느고를 구해 내실 수 있었어요. 하나님은 아들인 예수님을 통해 우리를 구원하세요. 예수님만이 우리를 죄에서 구원하실 수 있어요.

사드락, 메삭, 아벳느고를 구하셨어요 단 3장

바벨론의 왕 느부갓네살은 황금으로 커다란 신상을 만들었어요. 그러고는 "모든 사람은 들어라! 음악 소리가 들리면 이 신상에 엎드려 절하라. 누구든지 엎드려 절하지 않는 사람은 활활 타는 불구덩이 속에 던져질 것이다!"라고 명령했어요.

바벨론에 있는 모든 사람은 그 규칙을 지켜야 했어요. 사람들은 음악 소리가 들릴 때마다 왕이 명령한 대로 황금 신상에 엎드려 절했어요. 하지만 모든 사람이 신상에 엎드려 절하지는 않았어요. 남 유다에서 온 사드락, 메삭, 아벳느고는 신상에 절하지 않았어요.

그러자 그들을 미워하고 시기하는 몇 사람들이 느부갓네살에게 가서 사드락, 메삭, 아벳느고에 관해 이렇게 이야기했어요. "왕께서는 모두가 지켜야 할 규칙을 만들었습니다. 하지만 유다에서 온 몇 사람들이 왕의 말씀을 지키지 않고 왕께서 세우신 신상에 절하지 않습니다."

이 말을 들은 느부갓네살은 화가 났어요! 왕은 세 사람을 불러 "너희들이 내 신들을 섬기지 않고 내가 세운 신상에 절하지 않는 것이 사실이냐? 또다시 신상에 절하지 않으면 너희를 활활 타오르는 불구덩이 속에 던질 것이다! 그러면 어떤 신이 너희를 내 손에서 구해 낼 수 있겠느냐?"라고 말했어요.

사드락, 메삭, 아벳느고는 "왕이여, 우리가 섬기는 하나님이 활활 타오르는 불구덩이에서 우리를 구해 주실 것입니다. 하지만 하나님이 우리를 구하지 않으시더라도, 우리는 왕의 신들을 섬기거나 황금 신상에 절하지 않을 것입니다"라고 대답했어요.

느부갓네살은 더욱더 화가 났어요! 힘센 병사들에게 사드락, 메삭, 아벳느고를 꽁꽁 묶으라고 했지요. 그리고 병사들은 세 사람을 활활 타오르는 불구덩이에 던졌어요.

불구덩이 안을 보던 느부갓네살이 놀라 벌떡 일어나 "우리가 불 속에 던진 사람은 3명이지 않느냐? 보라! 불 속에서 네 사람이 걸어 다니고 있구나. 네 번째 사람은 마치 신들의 아들 같다!"라고 소리쳤어요.

왕은 재빨리 불구덩이에 다가가 소리쳤어요. "높고 높으신 하나님을 섬기는 사드락, 메삭, 아벳느고야! 밖으로 나오너라!" 그러자 사드락, 메삭, 아벳느고가 불에서 나왔어요. 그들은 머리털 하나도 불에 그을리지 않았어요!

느부갓네살은 "사드락, 메삭, 아벳느고의 하나님이 천사를 보내 자신을 섬기는 사람들을 구해 내셨다!"라고 외치며 하나님을 찬양했어요.

왕은 백성에게 새로운 명령을 내렸어요. "사드락, 메삭, 아벳느고의 하나님을 나쁘게 말하는 사람은 누구든 벌을 받을 것이다! 어떤 신도 자기를 믿는 사람을 이렇게 구해 낼 수 없기 때문이다!" 그 후 왕은 사드락, 메삭, 아벳느고를 바벨론의 높은 자리에 앉혔어요.

●● 가스펠 링크

하나님은 사드락, 메삭, 아벳느고와 함께 불 속에 계셨어요. 하나님만이 그들을 구해 내실 수 있었어요. 하나님은 아들인 예수님을 통해 우리를 구원하세요. 예수님만이 우리를 죄에서 구원하실 수 있어요. 십자가에서 죽으시고 살아나신 예수님으로 인해 우리는 죄에서 구원받고 영원한 생명을 얻을 수 있어요.

가스펠 준비

10~20분

환영

도착하는 아이들을 반갑게 맞이하고 헌금, 출석, QT 등을 확인하며 격려한다. 새 친구가 있다면 소개한다. 편안한 분위기에서 안부를 물으며 오늘의 말씀과 관련된 화제로 이야기를 나눈다. 아이들에게 다른 사람을 구해 준 경험이 있는지 물어본다. 자발적으로 대화에 참여하도록 이끈다.

예) "누군가를 구해 준 적이 있나요?", "누군가 여러분을 구해 준 적이 있나요?" 등.

— 오늘은 왕에게 불순종해서 무서운 벌을 받은 세 사람에 대해 배울 거예요. 어떤 벌이었을까요? 아이들의 대답을 기다린다. 여러분은 상상하지도 못할 무시무시한 벌이었어요. 그 벌이 어떤 것이었는지 잠시 후에 알아보기로 해요.

마음 열기

용광로 요새 *

[준비물] 탁자, 두꺼운 담요, 헤어드라이어

① 탁자 위에 두꺼운 담요를 덮어 '용광로 요새'를 만든다.

② 헤어드라이어를 이용해 담요 요새 안에 뜨거운 바람을 불어넣는다.

③ 아이들에게 차례로 한 명씩 나와 요새 안으로 들어가 보라고 한다.

④ 모든 아이가 요새를 경험하고 나면 뜨거운 요새 안에 있을 때 기분이 어땠는지 물어본다.

— 오늘은 바벨론왕이 세운 신상에 절하지 않은 젊은이들에 관한 이야기를 들을 거예요. 그들은 하나님만이 예배를 받으셔야 한다는 사실을 알았어요. 하지만 바벨론왕은 화가 나서 활활 타오르는 불구덩이에 그들을 던져 넣었어요. 그다음 어떤 일이 벌어졌을까요? 이제 곧 알게 될 거예요.

불이 나면 이렇게 하세요 *

① 아이들에게 불이 날 경우 어디로 빠져나갈지, 어떻게 걸어갈지, 화재 경보음 소리가 어떻게 울리는지 등에 대해 물어본다.

② 안전 계획을 미리 세우는 것이 왜 중요한지 설명한다.

③ 화재는 잘 일어나지 않지만 안전을 위해 미리 준비해야 한다고 알려 준다.

④ 화재 대피 훈련을 하면서 아이들을 밖으로 데리고 나간다.

⑤ 예배실로 돌아와 화재를 예방하기 위해 집마다 어떤 규칙이 있는지 함께 이야기한다.

— 사람들은 요리를 만들고, 어둠을 밝히고, 따뜻하게 하는 등 여러 가지 일에 불을 이용해요. 불은 우리에게 필요한 것이지만 한편으로는 위험하기도 해요. 우리는 오늘 엄청 뜨겁게 타오르는 불에 들어간 세 사람이 등장하는 이야기를 들을 거예요. 하나님은 그들을 불에서 구하실 수 있을까요?

가스펠 설교

15~30분

들어가기

[준비물] 요리사 복장(앞치마, 모자), **'직원 지침서'라고 쓰인 바인더**

요리사 복장을 하고, '직원 지침서'라고 쓰인 바인더를 들고 들어온다.

안녕하세요, 여러분! 또 만나서 반가워요! 저는 이 직원 지침서를 사무실에서 찾아냈어요. '미스터 로니 피자'에서 오래전에 사용하던 직원 지침서예요. 로니가 만들어낸 어떤 규칙들은 너무 이상해서 믿기 어려울 정도예요. 이 규칙을 한번 들어보세요. 직원 지침서를 보고 읽는다. "가게 주인이 좋아하는 노래가 나오면 직원과 손님들은 모두 춤을 추어야 한다. 춤추지 않는 손님에게는 음식을 주지 않는다. 이 규칙은 엄격하게 지켜야 한다."

이럴 수가! 저도 누구 못지않게 춤을 좋아하지만, 사람들에게 억지로 춤을 추라고 강요할 수는 없어요! 로니가 이 식당을 팔아야 했던 것이 놀랍지 않네요.

그런데 이 규칙은 성경 이야기를 떠올리게 해요. 바벨론왕 느부갓네살도 엄격한 규칙을 만들었어요. 무슨 이야기를 하는지 연대표에서 보여 줄게요.

연대표

다니엘과 친구들이 하나님께 순종했어요

사드락, 메삭, 아벳느고를 구하셨어요

다니엘을 구하셨어요

하나님의 백성을 고향으로 데려오셨어요

지난주에는 왕의 음식을 먹지 않겠다고 했던 다니엘과 친구들에 관해 배웠어요. 그들은 하나님께 순종했어요! 연대표에서 오늘의 성경 이야기를 가리킨다. 오늘은 성경 이야기를 통해 바벨론왕이 사드락, 메삭, 아벳느고에게 하나님께 불순종하라고 명령했던 또 다른 이야기를 들어 볼 거예요.

성경의 초점

1단원 '성경의 초점'의 질문과 답을 기억하나요? 아이들의 대답을 기다린다. **어떻게 해야 하나님께 순종할 수 있나요? 하나님이 우리에게 순종할 힘을 주신다고 믿어요.** 이 질문과 답이 진리라는 사실을 알 수 있도록 이제 성경 이야기에 귀를 기울여 보세요.

성경 이야기

DVD 다니엘 3장을 펴고, 설교 영상(지도자용 팩)을 보여 주거나 이야기 성경을 들려준다.

우와! 음악 소리가 들리면 신상에 절을 하라는 왕의 명령은 이상할 뿐만 아니라 하나님께 죄를 짓는 일이기도 했어요! 느부갓네살은 모든 사람에게 자신이 만든 커다란 황금 신상에 절하라고 명령했어요. 하지만 사드락, 메삭, 아벳느고는 하나님의 백성은 다른 신을 섬기지 말고 어떤 우상도 만들지 말아야 한다는 하나님의 명령을 잘 알았어요. 불구덩이에 던져 버리겠다고 윽박지르는 왕의 말을 듣지 않기란 정말 어려울 거예요. 하지만 사드락, 메삭, 아벳느고는 하나님께 순종하는 것이 뜨거운 불구덩이를 피하는 것보다 더 중요하다는 사실을 알았어요. 그들은 '성경의 초점'의 질문에 대한 답도 알고 있었어요. **어떻게 해야 하나님께 순종할 수 있나요? 하나님이 우리에게 순종할 힘을 주신다고 믿어요.**

사드락, 메삭, 아벳느고는 하나님이 그들을 불에서 구해 내실지 확실히 알 수 없었지만, 하나님이 그들을 구원하실 수 있다는 것만은 분명히 알았어요. 또한 그들이 하나님께 순종할 수 있도록 하나님이 힘을 주실 것이라고 믿었어요.

하나님에게는 세 친구를 구할 능력이 있었어요. 하지만 하나님은 왕이 그들을 불에 던지도록 그냥 두셨어요. 불 속에는 세 친구만 있는 것이 아니었어요. **하나님은 불 속에 던져진 사드락, 메삭, 아벳느고와 함께하셨고, 그들을 구해 주셨**

어요. 그들을 구하신 하나님은 하나님이 모든 일을 책임지신다는 사실을 바벨론왕에게 보여 주셨어요.
하나님은 지금도 사람들에게 하나님을 믿고 순종할 힘을 주세요. 사드락, 메삭, 아벳느고를 구원하신 것처럼, 하나님은 우리를 구원할 계획도 갖고 계세요. 하나님은 우리를 구원하기 위해 예수님을 이 땅에 보내셨어요. 예수님은 하나님께 온전히 순종하셨어요. 예수님은 죄를 지으신 적이 없지만 우리 죄 때문에 십자가에서 죽으시고, 죽은 자 가운데서 살아나셨어요. 이제 예수님을 믿는 사람들은 하나님의 용서와 축복을 받을 수 있어요.

찬양

구원을 얻으리

여호와는 신실하신 하나님
모든 민족과 역사 주 다스리시네
주의 백성을 다시 일으키시네
주께 순종할 힘 주시네
주가 도와주시네

구원을 얻으리 불 가운데에서도
구원을 얻으리 무서운 사자 굴에서도
신실하신 하나님 나의 힘이 되시네
두려움 나 없으리
구원을 얻으리.

※지도자용 팩 또는 가스펠 프로젝트 홈페이지(gospelproject.co.kr)에서 이용하세요.

복음 초청

성경과 45쪽 복음 초청 가이드를 이용해서 아이들에게 그리스도인이 되는 법을 설명해 준다. 따로 상담해 줄 사람을 정해 주고 궁금한 점이 있으면 물어보도록 격려한다.

이 시간 예수님을 마음에 모시고 싶은 친구는 함께 기도해요.

기도

하나님, 사드락과 메삭과 아벳느고를 통해 죽을 수 있는 상황에서도 하나님만 의지하는 믿음을 배웠습니다. 우리를 위해 끝까지 순종하신 예수님을 보내 주셔서 감사합니다. 우리가 이해할 수 없고 두려워할 때도 언제나 하나님이 책임지신다는 사실을 늘 기억하게 해 주세요. 성령님을 의지하며 언제나 하나님께 순종할 수 있도록 인도해 주세요. 예수님의 이름으로 기도합니다. 아멘.

적용

TIP 설교 도입이나 적용으로 활용하거나 영상을 본 뒤 소그룹으로 나누어 풍성한 대화를 이어 갈 수 있습니다.

누구나 혼자라고 느끼거나 무서울 때가 있어요. 두려움이나 외로움을 느낄 때 어떻게 해야 할지 생각하며 다음 영상을 함께 보기로 해요.

적용 예화 영상(지도자용 팩)을 보여 준다.

힘들고 어려운 상황에서 가장 큰 위로를 주는 것은 무엇인지 아이들과 이야기를 나누어 본다. 사드락, 메삭, 아벳느고는 어디에서 위로를 얻었는지 물어본다.

우리는 어떠한 어려움 속에서도 하나님을 섬기기로 결심할 수 있어요. 무슨 일이 있어도 하나님이 우리와 함께 계신다는 사실을 믿을 수 있어요. 하나님의 약속은 하나님을 믿고 순종할 수 있도록 우리에게 희망과 용기를 주어요. **어떻게 해야 하나님께 순종할 수 있나요? 하나님이 우리에게 순종할 힘을 주신다고 믿어요.**

가스펠 소그룹

10~20분

나침반

날아가는 종이를 잡아라!

[준비물] 1단원 암송(108쪽), **얇은 종이**(빨강, 주황, 노랑), **펜**

① 다니엘 2장 21절을 어절 단위로 나누어 색색의 얇은 종이에 적는다.

② 성경 구절을 쓴 종이를 예배실 곳곳에 흩뿌려 둔다.

③ 아이들에게 흩어진 종이를 모아 순서대로 나열하라고 한다.

— 사드락, 메삭, 아벳느고는 죽음을 무릅쓰고 하나님께 순종했어요. **하나님은 불 속에 던져진 사드락, 메삭, 아벳느고와 함께하셨고, 그들을 구해 주셨어요.** 예수님은 하나님께 순종하려고 목숨을 버리셨고, 덕분에 우리는 예수님을 믿으면 죄에서 구원받고 새로운 생명을 얻을 수 있어요. 우리는 살면서 여러 어려움을 겪지만, 하나님이 우리와 영원히 함께하신다는 사실을 알기 때문에 두려움 없이 어려운 일들에 맞설 수 있어요.

보물 지도

○× 미로 찾기

[준비물] 학생용 교재 12쪽, 연필이나 색연필, 성경

① 아이들에게 성경에서 다니엘 3장을 찾으라고 한다.

② ○× 문제를 풀며 미로를 통과해 보라고 한다.

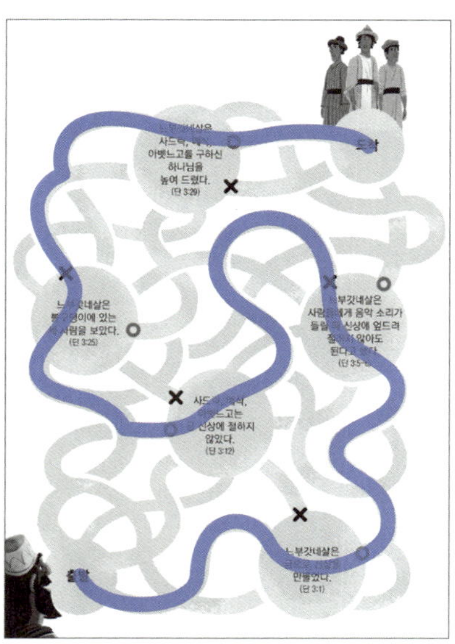

1 느부갓네살 왕은 금으로 신상을 만들었다. (단 3:1) ○

2 느부갓네살은 사람들에게 음악 소리가 들릴 때 신상에 엎드려 절하지 않아도 된다고 했다. (단 3:5~6) ×, 모든 사람에게 절하라고 했다

3 사드락, 메삭, 아벳느고는 금 신상에 절하지 않았다. (단 3:12) ○

4 느부갓네살은 불구덩이에 있는 세 사람을 보았다. (단 3:25) ×, 네 사람을 보았다

5 느부갓네살은 사드락, 메삭, 아벳느고를 구하신 하나님을 높여 드렸다. (단 3:29) ○

— 사드락, 메삭, 아벳느고는 하나님만 예배해야 한다는 사실을 잘 알았어요. 그들은 불에 던져질 것을 알면서도 바벨론왕이 만든 신상에 절하지 않았어요. 하나님이 구하실지 구하지 않으실지 몰랐지만, 기꺼이 불구덩이로 들어갔어요. **하나님은 불 속에 던져진 사드락, 메삭, 아벳느고와 함께하셨고, 그들을 구해 주셨어요.** 하나님만 그들을 구하실 수 있었어요. 하나님은 아들인 예수님을 통해 우리를 구원하세요. 예수님만이 우리를 죄에서 구원하실 수 있어요. 예수님이 십자가에서 죽으시고 다시 살아나셨기 때문에, 우리는 죄에서 구원받고 영원한 생명을 얻을 수 있어요.

탐험하기

한 줄로 연결하기

[준비물] 학생용 교재 13쪽, 연필이나 색연필

① 글자를 한 줄로 연결해 문장을 완성해 보라고 한다.

② 모든 단어가 연결되어 문장을 이루어야 한다고 말해 준다.

③ 완성한 문장을 아래 빈칸에 적게 한다.

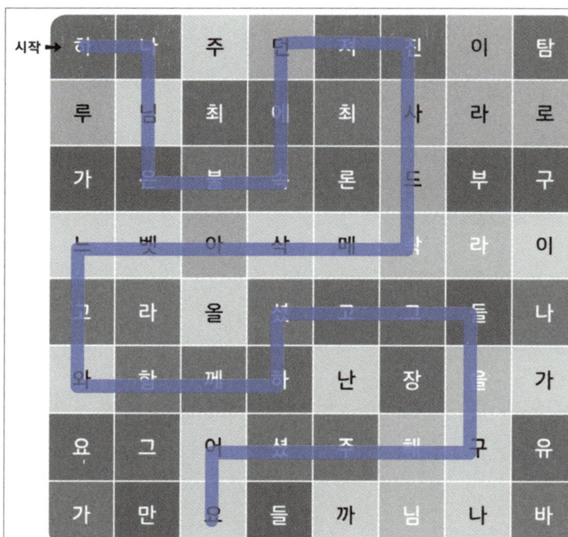

하나님은 불 속에 던져진
사드락, 메삭, 아벳느고와
함께하셨고
그들을 구해 주셨어요.

— 한 줄로 모든 단어를 연결하니 어떤 문장이 완성되었나요? 맞아요. **하나님은 불 속에 던져진 사드락, 메삭, 아벳느고와 함께하셨고, 그들을 구해 주셨어요.** 그들은 하나님만을 예배했어요. 느부갓네살왕이 만든 금 신상에 절하지 않았지요. 그래서 뜨거운 불구덩이에 들어가야 했어요. 하지만 하나님은 그들과 함께 계셨어요.

조각상 춤 *

[준비물] 빠르고 신나는 찬양 1곡

① 아이들을 둥글게 세우고, 찬양을 튼다.

② 음악에 맞춰 춤을 추다가, 음악이 멈추면 곧바로 조각상 같은 자세를 해야 한다고 일러 준다.

③ 음악이 멈췄을 때 움직인 아이들은 놀이가 끝날 때까지 자리에 앉아 있어야 한다고 말해 준다.

④ 마지막 한 아이가 남을 때까지 놀이를 계속한다.

— 느부갓네살왕은 사람들에게 음악 소리가 들리면 황금 신상에 엎드려 절하라고 명령했어요. 하지만 사드락, 메삭, 아벳느고는 신상에 절하지 않았어요. 왕은 그들을 불구덩이에 던지라고 명령했어요. **하나님은 불 속에 던져진 사드락, 메삭, 아벳느고와 함께하셨고, 그들을 구해 주셨어요.** 비슷한 방식으로 하나님은 십자가에 달려 죽으신 예수님을 죽은 자 가운데서 살리셨고, 우리를 죄에서 구원함으로 하나님의 능력을 보이셨어요.

다니엘의 세 친구 *

[준비물] 도화지, 색연필 또는 크레파스, 검은색 판지, 가위, 얇은 종이(빨강, 주황, 노랑), **유산지, 손전등**

① 아이들에게 도화지를 나누어 주고 다니엘의 세 친구를 각각 그리게 한다.

② 검정색 판지에 각자 그린 사람을 붙이고, 테두리가 있게 오리라고 한다.

③ 아이들에게 얇은 종이(빨강, 주황, 노랑)를 나누어 주고, 작은 조각으로 찢게 한다.

④ 유산지를 2장씩 나누어 주고, 그 중 한 장에 사람 모형 3개와 불꽃 색깔의 얇은 종이를 붙이라고 한다. 가장자리는 2.5cm 정도씩 남기게 한다.

⑤ ④번 유산지의 가장자리에 풀칠하고, 남은 유산지를 그 위에 붙이라고 한다.

⑥ 유산지 사이로 손전등을 비춰 불타는 장면처럼 보이게 한다.

— 사드락, 메삭, 아벳느고는 바벨론왕이 세운 신상에 절하지 않았고, 왕은 그들을 불에 던지겠다고 으박질렀어요. 결국, 그들은 불구덩이에 들어갔지만, 하나님은 그들을 구해내셨어요. 이를 목격한 모든 사람들은 하나님을 예배하게 되었어요.

보물 상자

나만의 기록장

[준비물] 학생용 교재 14쪽, 연필이나 색연필

① 아이들에게 하나님만 예배하는 것이 어떤 의미인지 물어본다.

② 하나님만 예배하며 살기 위해서는 어떻게 해야 하는지 그림이나 글로 표현해 보게 한다.

— 살다 보면 하나님을 예배하지 못하도록 방해하는 일들이 많아요. 무언가 새롭고 좋은 일이 생기면 그것이 가장 중요해 보이지만, 예수님을 대신할 수 있는 일은 아무것도 없어요. 감사하게도 예수님이 우리를 위하여 죽으셨기 때문에 우리는 죄에서 돌이켜 하나님만 예배할 수 있어요. 우리가 예수님의 이름으로 기도하면 하나님은 우리를 용서하시고 하나님 자녀로 받아 주세요. 하나님의 자녀가 된 기쁨을 기억하며 언제나 하나님만 예배하는 어린이가 되어요.

메시지 카드

이번 주 메시지 카드로 부모님과 함께 오늘 배운 성경 이야기를 나누어 보라고 한다.

기도

우리를 사랑하시는 하나님, 언제나 하나님의 말씀에 순종하기 원합니다. 어떤 상황 속에서도 절망하지 않고 하나님을 바라보는 우리가 되도록 도와주세요. 위대하신 하나님의 놀라운 은혜 안에서 우리가 바르게 자라갈 수 있도록 성령님 인도해 주세요. 예수님의 이름으로 기도합니다. 아멘.

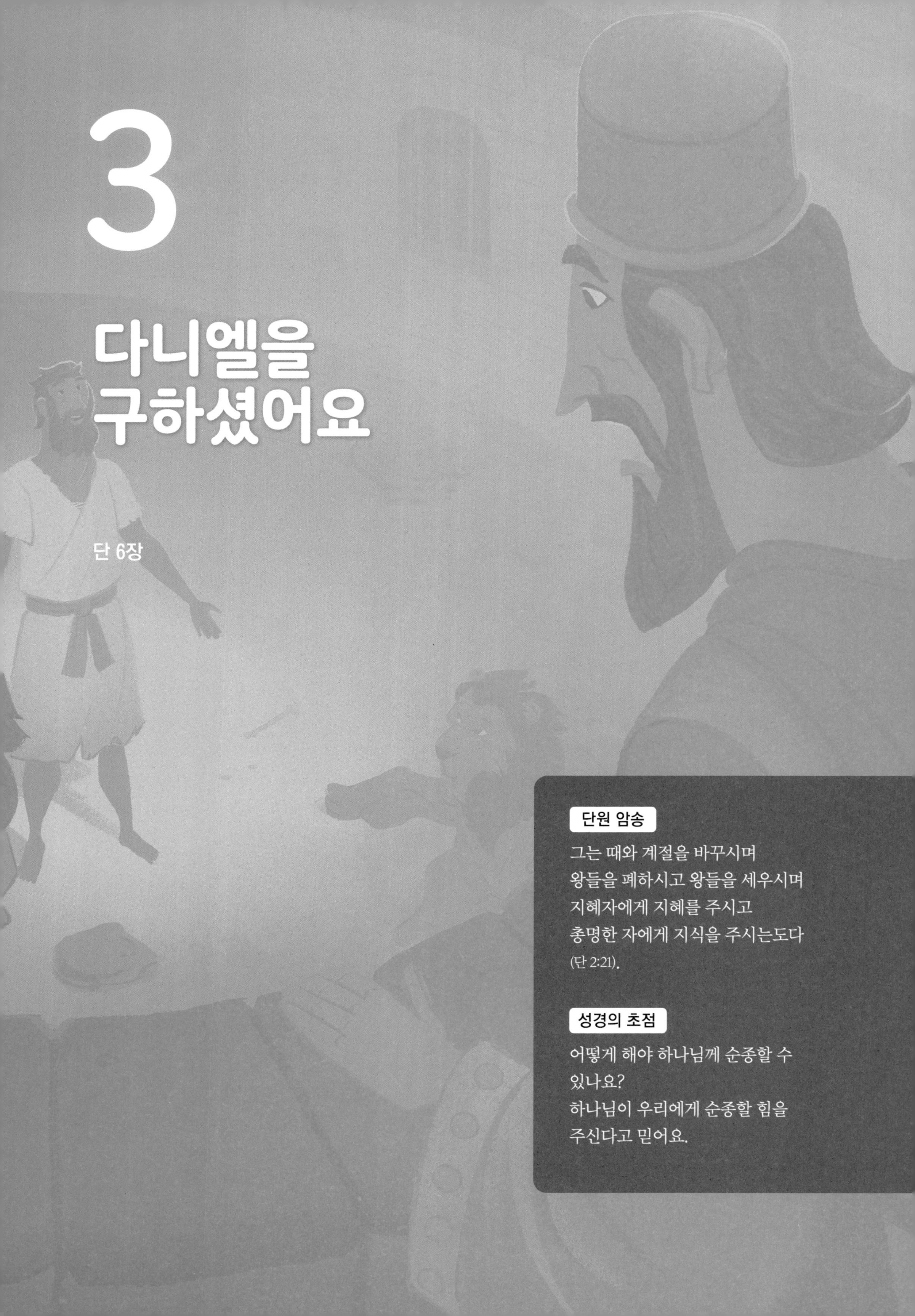

3

다니엘을 구하셨어요

단 6장

단원 암송

그는 때와 계절을 바꾸시며
왕들을 폐하시고 왕들을 세우시며
지혜자에게 지혜를 주시고
총명한 자에게 지식을 주시는도다
(단 2:21).

성경의 초점

어떻게 해야 하나님께 순종할 수 있나요?
하나님이 우리에게 순종할 힘을 주신다고 믿어요.

본문 속으로

다니엘 5장은 바벨론의 왕 벨사살이 죽고 다리오가 왕위에 오르는 장면으로 끝납니다. 바벨론은 강력하고 번창했던 제국의 지위를 잃고 쇠퇴합니다. 당시 다니엘은 80대 초반의 노인이었습니다. 다니엘은 왕국을 다스리는 총리 중 한 명이 되어 새 왕을 위해 일했습니다.

다니엘은 일을 정말 잘했습니다. 다리오왕은 어느 관리보다 능력이 뛰어난 다니엘에게 왕국 전체를 맡기려고 했습니다. 다른 총리들과 지방장관들은 다니엘을 질투했습니다. 다니엘을 지켜보면서 잘못을 찾아내 왕에게 고발하려고 했습니다. 다니엘은 충성스러운 사람이었으므로 어떤 실수나 잘못도 찾아낼 수 없었습니다(단 6:4 참조).

관리들이 악한 마음을 먹고 설득하는 바람에 다리오왕은 30일 동안 왕 외에는 누구에게도 기도할 수 없다는 명령을 내립니다. 하지만 다니엘은 담대하게 하나님께 계속 기도했습니다. 명령을 어기는 사람은 모두 죽이겠다는 왕의 위협에도 다니엘은 기도를 멈추지 않았습니다. 결국, 다니엘은 질투하던 관리들의 고발로 사자 굴에 던져집니다.

티칭 포인트

다니엘이 어떤 기분이었을지 아이들이 상상해 볼 수 있도록 이끌어 주십시오. 다니엘은 잡힐까 봐 걱정했을까요? 사자들에게 잡아먹히는 악몽을 꾸었을까요? 아이들을 가르치면서 다니엘이 참된 왕이신 하나님께 충성했고, 하나님이 그를 구해 내셨다는 사실을 강조하십시오. 하나님의 보호는 "살아 계신 하나님으로 영원히 변하지 않는 분이며, 그의 나라는 절대 멸망하지 않고 그의 다스림이 끝없이 이어질 것"이라는 다니엘의 고백이 사실이라는 것을 모든 사람에게 보여 줍니다(단 6:26 참조).

하나님은 우리에게 무슨 일이 있어도 하나님을 믿고 순종하라고 하십니다. 하나님은 사자보다 훨씬 더 위험한 것으로부터 우리를 구원하기 위해 아들인 예수님을 보내셨습니다. 예수님은 우리를 죄와 죽음에서 구원하십니다. 여러분과 여러분이 가르치는 아이들의 믿음을 통해 하나님의 이름이 영원히 찬양받으시도록 기도하십시오(단 2:20 참조).

주 제

다니엘은 하나님께 신실했고, 하나님은 그를 구하셨어요.

가스펠 링크

사자들의 입을 막아 다니엘을 구하신 하나님은 예수님을 통해 죄와 죽음에서 우리를 구원하셨어요.

다니엘을 구하셨어요 단 6장

다리오왕은 바벨론 지역의 새 지도자였어요. 다리오왕은 다니엘을 바벨론을 나눠 다스릴 총리 중 한 명으로 뽑았어요. 다니엘은 일을 굉장히 잘했고, 왕은 다니엘에게 나라 전체를 맡겨야겠다고 생각했어요.

이 소식을 들은 다른 관리들이 다니엘을 질투했어요. 그들은 다니엘이 무슨 잘못을 하나라도 하면 어려움에 빠뜨리려고 지켜보았았어요. 하지만 다니엘은 옳은 일만 했어요.

다니엘이 하나님께 순종한다는 사실을 알았던 관리들은 다니엘이 기도 때문에 어려움을 겪도록 나쁜 계획을 세웠어요. 그들은 왕을 찾아가 "왕이시여, 앞으로 30일 동안 모든 사람이 다른 신이 아닌 오직 당신에게만 기도하도록 명령을 내리십시오. 이 명령을 어기는 사람은 누구든 사자 굴에 던져 넣어야 합니다"라고 말했어요. 이 말을 들은 왕은 관리들의 말대로 새로운 명령을 내렸어요.

다니엘은 왕의 명령을 지키려면 하나님께 기도하지 못한다는 사실을 알았어요. 그런데도 다니엘은 집으로 돌아가 항상 그랬듯이 매일 3번씩 하나님께 기도했어요. 이 모습을 본 관리들은 왕에게 달려가 다니엘이 왕의 명령을 어기고 하나님께 기도했다고 일러바쳤어요.

왕은 당황했어요. 명령을 어긴 다니엘에게 벌을 내려야 한다는 사실을 알았지만, 그를 벌하고 싶지 않았기 때문이에요. 왕은 어떻게 하면 다니엘을 사자들로부터 구할 수 있을지 온종일 고민했어요.

관리들은 "왕이시여, 왕께서 내린 명령을 바꿀 수는 없습니다"라고 말했어요. 결국, 왕은 다니엘을 사자 굴에 던져 넣으라고 명령했어요. 그리고 다니엘에게 "네가 항상 섬기는 하나님이 너를 구원하실 것이다"라고 말했어요. 밤이 되어 왕궁으로 돌아간 왕은 다니엘이 걱정되어 먹지도 않고 자지도 못했어요. 사자 굴에 던져진 다니엘 걱정 뿐이었지요.

다음 날 아침 해가 뜨자마자 왕은 서둘러 사자 굴로 달려갔어요. "다니엘아! 네 하나님이 너를 사자들로부터 구해 주셨느냐?" 왕은 슬피 울며 소리쳐 물었어요.

사자 굴에서 다니엘의 목소리가 들렸어요. "왕이시여! 하나님이 천사를 보내 사자들의 입을 막으셔서 저를 해치지 못하게 하셨습니다!"

왕은 너무나 기뻤어요! 당장 사자 굴에서 다니엘을 건져 올리라고 명령했어요. 다니엘은 하나님을 믿었기에 상처 하나 입지 않았어요.

다리오왕은 모든 백성은 하나님을 경외해야 한다는 새로운 명령을 내렸어요. 그리고 "하나님은 살아 계시고 영원히 변하지 않는 분이시다! 하나님이 사자들의 입에서 다니엘을 구해 내셨다"라고 말했어요.

●● 가스펠 링크

하나님은 사자들의 입을 막아 다니엘을 구하셨어요. 이것은 더 큰 이야기의 작은 일부일 뿐이에요. 하나님은 아들인 예수님을 통해 죄와 죽음에서 우리를 구원하셨어요.

가스펠 준비

10~20분

환영

도착하는 아이들을 반갑게 맞이하고 헌금, 출석, QT 등을 확인하며 격려한다. 새 친구가 있다면 소개한다. 편안한 분위기에서 안부를 물으며 오늘의 말씀과 관련된 화제로 이야기를 나눈다. 동물원에서 사자를 본 적이 있는지 물어본다. 사자의 어떤 점이 가장 인상적이었는지 물어본다. 자발적으로 대화에 참여하도록 이끈다.

예) "사자를 본 적 있나요?", "사자는 어떻게 생겼나요?" 등.

— 오늘은 정말 무서운 하룻밤을 보낸 한 사람에 대한 이야기를 들을 거예요. 이 사람은 밤새 사자들과 함께 있었어요! 과연 살았을까요, 죽었을까요? 궁금하지 않나요?

마음 열기

사자야, 사자야, 몇 시니? *

① 아이들에게 '여우야~ 여우야~ 뭐하니?' 노래 가사를 바꾸어 들려준다.

· "여우야~ 여우야~ 뭐하니?" → "사자야~ 사자야~ 몇 시니?"

② 술래(사자)를 한 명 뽑아, 예배실 한쪽 벽을 바라보고 서게 한다.

③ 나머지 아이들에게 사자 반대쪽 벽에 서서 "사자야~ 사자야~ 몇 시니?"라고 노래를 부르라고 한다.

④ 사자는 몇 시인지 대답하고, 아이들은 사자가 말한 시간만큼 앞으로 걸어가게 한다.

예) 1시: 1걸음, 2시: 2걸음 등.

⑤ 사자는 자신이 원할 때 "12시(식사시간)"이라고 말하고 돌아서서 아이들을 잡을 수 있다고 말해 준다.

⑥ 사자에게 잡힌 아이가 술래(사자)가 되어 놀이를 반복한다.

— 사자는 다른 동물들을 잡아먹어요. 배고픈 사자는 사람도 잡아먹을 만큼 위험하지요. 오늘은 하나님께 기도했다는 벌로 사자들과 밤을 보내야 했던 다니엘에 대한 이야기를 들을 거예요. 다니엘은 어떻게 되었을까요?

어떤 동물일까? *

① 아이들에게 자신 있는 동물 소리를 내 보라고 한다.

② 번갈아 가며 동물 소리를 내고, 어떤 동물인지 서로 맞히게 한다.

③ 모든 아이에게 사자처럼 으르렁거리라고 한다.

④ 마지막으로 배가 고파도 잡아먹을 수 없는 사자의 소리를 내 보라고 본다.

— 굶주린 사자가 되었다고 상상해 보세요. 사람들이 맛있는 음식을 여러분에게 던져 주었어요. 그런데 아무리 배가 고파도 음식을 먹을 수 없었어요! 우리는 배가 고파도 먹을 수 없는 사자의 아주 이상한 울음소리를 들었어요. 왜 이런 일이 일어났을까요? 오늘 성경 이야기를 잘 듣고 함께 알아보아요!

가스펠 설교

15~30분

들어가기

[준비물] 요리사 복장(앞치마, 모자), **'직원 지침서'라고 쓰인 바인더**

요리사 복장을 하고, 바인더를 들고 들어온다.

안녕하세요, 여러분! 아마도 여러분은 믿을 수 없을 거예요. 이 직원 지침서의 규칙은 점점 더 이상해져요. 잘 들어보세요. "모든 직원은 사무실을 사자 굴이라고 불러야 한다. 이 규칙을 어기면 곧장 벌을 받아 사자 복장을 하고 일해야 한다. 주방에서 일하는 직원은 위생을 위해 털 달린 장갑과 모자를 쓰지 않아도 된다."

어떤 손님의 음식에서 털이 나왔다는 이야기를 들었지만 어떻게 된 일인지 몰랐어요. 이제 보니 사자 복장 때문이었어요. 세상에! 이 규칙들은 정말 우스꽝스럽고 믿을 수가 없는 것들이에요.

불쌍한 직원들은 규칙을 따르기 어려운 데다 규칙을 따르자니 일을 제대로 할 수 없어 내내 힘들었을 거예요. 이 규칙을 보면서 잘못된 명령을 내린 어느 왕에 관한 성경 이야기가 떠올랐어요.

연대표

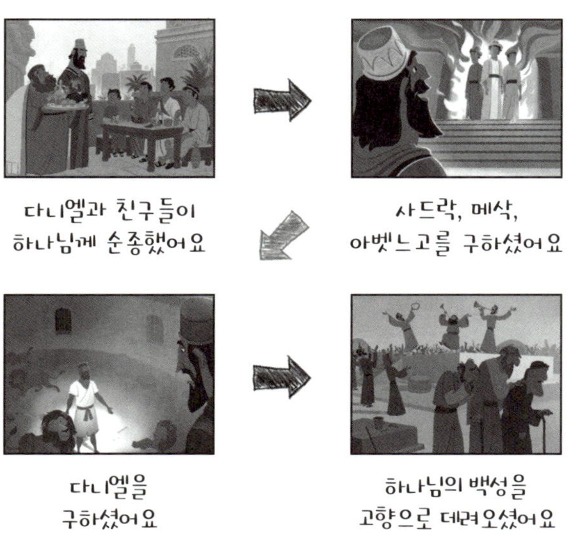

페르시아가 바벨론을 차지했지만, 다니엘은 정말 성실하고 일을 잘했기 때문에 새 왕들도 그를 옆에 두고 싶어 했어요. 여기 보세요! 연대표에서 오늘의 성경 이야기를 가리킨다. 오늘 성경 이야기에는 사자가 등장해요! 어, 이 사자들은 정말 배고파 보이네요!

성경의 초점

오늘 성경 이야기를 듣기 전에 이 이야기에서 가장 중요한 부분은 사자가 아니라는 사실을 기억해야 해요. 하나님은 어떤 분이시고, 우리는 어떻게 해야 하나님께 순종할 수 있느냐에 초점을 두어야 해요. **어떻게 해야 하나님께 순종할 수 있나요?** 아이들의 대답을 기다린다. 맞아요. **하나님이 우리에게 순종할 힘을 주신다고 믿어요.**

성경 이야기

DVD 다니엘 6장을 펴고, 설교 영상(지도자용 팩)을 보여 주거나 이야기 성경을 들려준다.

다니엘은 다시 한 번 하나님께 순종할지 왕에게 순종할지 선택해야 했어요. 왕에게 순종하지 않으면 심한 벌을 받게 된다는 것을 알았지만, 다니엘은 하나님이 세상의 어떤 왕보다 크고 높으신 분이라는 사실을 잘 알았어요. 결국, 다니엘은 하나님께 순종하기 위해 왕의 명령을 따르지 않았어요. 왕은 명령을 어긴 다니엘에게 벌을 내려야 했어요. 다니엘을 아끼는 왕은 너무나 걱정되었고, 하나님이 다니엘을 보호하시길 바랐어요. 하나님은 바로 그렇게 하셨어요! **다니엘은 하나님께 신실했고, 하나님은 그를 구하셨어요.** 다니엘이 하나님께 순종할 수 있었던 것은 하나님이 도우셨기 때문이에요. 하나님은 다니엘이 밤새 사자들과 함께할 때조차 순종할 힘을 주시며 그를 책임지셨어요.

하나님은 다니엘을 사자들의 입에서 구하는 능력을 보이셨지만, 이것은 더 큰 이야기의 작은 일부일 뿐이에요. 하나님은 아들인 예수님을 통해 죄와 죽음이라는 훨씬 더 큰 문제에서 우리를 구원하셨어요.

죄인인 우리는 죽어야 마땅해요. 하지만 우리를 사랑하시는 하나님은 아들인 예수님을 보내 우리 대신 죽게 하셨어요. 그리고 죽은 자 가운데서 다시 살리셨어요. 하나님은 우리스스로 하나님께 순종할 수 없다는 사실을 아시기 때문에, 우리를 죄에서 구할 방법을 준비하셨어요. 하나님은 성령님을 통해 우리를 하나님의 능력으로 채우세요. **어떻게 해야 하나님께 순종할 수 있나요? 하나님이 우리에게 순종할 힘을 주신다고 믿어요.**

복 / 습 / 질 / 문

1 오늘 성경 이야기에서 다니엘은 어느 왕을 위해 일했나요?

다리오 (단 6:1~2)

2 관리들은 다리오왕에게 어떤 명령을 내리라고 설득했나요?

30일 동안 왕에게만 기도할 수 있다는 명령을 내리라고 했다 (단 6:7)

3 다니엘은 하나님께 기도하기를 그만뒀나요?

아니다, 왕의 명령을 알고도 하루 세 번씩 하나님께 기도했다 (단 6:10)

4 왕은 기꺼이 다니엘에게 벌을 주었나요?

아니다, 왕은 다니엘을 구하려고 했지만 명령을 바꿀 수 없었다 (단 6:14~16)

5 다니엘은 사자 굴에서 어떻게 살아남았나요?

하나님이 천사를 보내 사자들의 입을 막아 다니엘을 해치지 못하게 하셨다 (단 6:22)

6 어떻게 해야 하나님께 순종할 수 있나요?

하나님이 우리에게 순종할 힘을 주신다고 믿어요.

찬양

구원을 얻으리

여호와는 신실하신 하나님
모든 민족과 역사 주 다스리시네
주의 백성을 다시 일으키시네
주께 순종할 힘 주시네
주가 도와주시네

구원을 얻으리 불 가운데에서도
구원을 얻으리 무서운 사자 굴에서도
신실하신 하나님 나의 힘이 되시네
두려움 나 없으리
구원을 얻으리.

DVD ※ 지도자용 팩 또는 가스펠 프로젝트 홈페이지(gospelproject.co.kr)에서 이용하세요.

복음 초청

성경과 45쪽 복음 초청 가이드를 이용해서 아이들에게 그리스도인이 되는 법을 설명해 준다. 따로 상담해 줄 사람을 정해 주고 궁금한 점이 있으면 물어보도록 격려한다.

이 시간 예수님을 마음에 모시고 싶은 친구는 함께 기도해요.

기도

하나님, 다니엘을 사자들에게서 보호하신 살아계신 하나님을 찬양합니다. 예수님의 순종을 통해 우리를 죄에서 구원하신 하나님을 기억합니다. 하나님께 온전히 순종하지 못하는 우리를 용서해 주세요. 어떤 상황에서도 하나님께 순종할 힘을 주시고, 하나님의 영광을 위해 살 수 있도록 성령님 도와주세요. 예수님의 이름으로 기도합니다. 아멘.

적용

TIP 설교 도입이나 적용으로 활용하거나 영상을 본 뒤 소그룹으로 나누어 풍성한 대화를 이어 갈 수 있습니다.

DVD 적용 예화 영상(지도자용 팩)을 보여 준다.

무엇이 불순종이 될 수 있는지 아이들과 이야기를 나누어 본다. 불순종해도 괜찮을 때가 있는지 물어본다. 누구에게 순종해야 하는지 물어본다.

우리는 언제나 하나님께 순종해야 하지만, 그러지 못할 때가 많아요. 하나님이 옳다고 하시는 일을 하는 것이 어려울 수도 있어요. 하지만 예수님이 우리를 죄에서 구원하기 위해 죽으시고 살아나셨기 때문에 하나님은 우리를 값없이 용서하세요. **하나님이 우리에게 순종할 힘을 주신다고 믿어요.** 우리는 선하신 하나님께 순종할 수 있어요.

가스펠 소그룹

10~20분

나침반

하나님의 말씀은

[준비물] 학생용 교재 18쪽, 연필이나 색연필

① 아이들에게 빈칸에 적힌 흐린 글씨를 따라 쓰며 다니엘 2장 21절을 완성해 보라고 한다.

② 완성한 성경 구절을 함께 큰소리로 여러 번 읽으며 암송한다.

— 다니엘은 오직 참된 하나님 한 분에게만 기도했어요. 바벨론왕이 자신에게만 기도하라고 명령을 내렸을 때도 다니엘은 계속 하나님께 신실했어요. 다니엘이 왕이 아닌 하나님께 순종했을 때 어떤 일이 일어났을까요? **다니엘은 하나님께 신실했고, 하나님은 그를 구하셨어요.**

보물 지도

다니엘 퀴즈

[준비물] 성경, 사탕

① 성경을 주고 다니엘 6장을 찾으라고 한다.

② 아이들에게 아래 질문을 한다.

③ 답을 아는 친구는 "어흥~"이라고 외치고, 인도자가 지목한 아이는 일어나서 답을 하게 한다.

④ 정답을 맞힌 아이에게 사탕을 준다.

1 다니엘은 하루에 몇 번 기도했나요? 3번 (단 6:10)

2 왕궁의 관리들은 새로운 명령을 내리도록 왕을 설득했어요. 왕은 어떤 새로운 명령을 만들었나요?

30일 동안 왕 외에 어떤 신에게도 기도할 수 없었다는 명령을 내렸다 (단 6:7, 12)

3 다니엘을 벌해야 했을 때 왕은 어떻게 했나요?

다니엘을 구하려고 애썼다. 그리고 다니엘을 걱정하며 밤이 새도록 금식하며 잠을 자지 않았다 (단 6:14, 16~18)

4 다니엘을 보호하기 위해 하나님은 무슨 일을 하셨나요?

하나님은 천사를 보내 사자의 입을 막으셨다 (단 6:22)

5 하나님이 다니엘을 보호하셨다는 사실을 알게 된 후 왕은 어떻게 했나요?

나라에 조서를 내려 하나님이 다니엘에게 하신 일을 알리며 하나님을 높였다 (단 6:25~27)

6 어떻게 해야 하나님께 순종할 수 있나요?

하나님이 우리에게 순종할 힘을 주신다고 믿어요.

— 다니엘은 다리오왕의 새 명령에 대해 알고 있었지만, 하나님이 아닌 다른 누구에게 기도하는 것이 죄라는 사실도 알았어요. 다니엘은 벌을 받더라도 하나님께 순종하기로 했어요. 다니엘은 자신이 하나님께 순종한다는 사실을 숨기려고 하지 않았어요. 그는 누구나 볼 수 있도록 창문을 열어 놓고 기도했어요. **다니엘은 하나님께 충성했고, 하나님은 다니엘을 구해내셨어요.**

탐험하기

다니엘 이야기

[준비물] 학생용 교재 18~19쪽, 연필

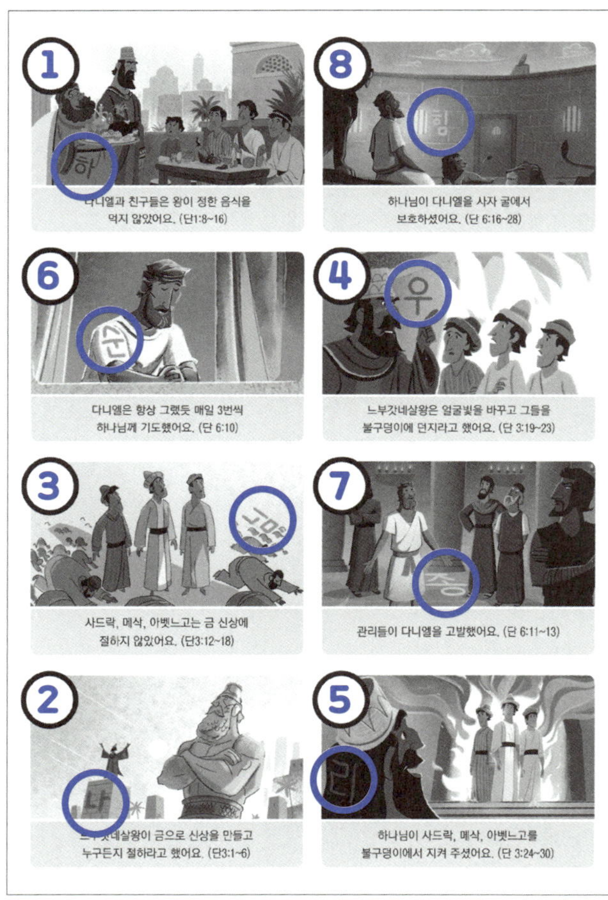

① 다니엘과 친구들의 이야기 순서에 맞게 번호를 적게 한다.

② 이야기 순서대로 각 그림에서 찾은 단어를 사용해 18쪽 아래 문

장을 완성해 보라고 한다.

> 어떻게 해야 하나님께 순종할 수 있나요?
>
> 하 나 님이 우 리에게
>
> 순 종할 힘을 주신다고 믿어요.

— 다니엘과 친구들은 죽을지 모르는 상황에서도 하나님께 순종했어요. 바벨론왕의 명령보다 하나님의 말씀에 순종하는 믿음이 있었기 때문이에요. **다니엘은 하나님께 신실했고, 하나님은 그를 구하셨어요. 어떻게 해야 하나님께 순종할 수 있나요? 하나님이 우리에게 순종할 힘을 주신다고 믿어요.**

사자 굴 속에서 *

[준비물] 종이 접시, 공예용 나무막대, 가위, 풀, 끈, 사인펜

① 아이들에게 종이 접시를 나눠 주고 사자의 눈이 될 구멍 2개를 오리라고 한다.

② 접시 가장자리는 사자 갈기처럼 끈을 붙이라고 한다.

③ 사인펜으로 사자의 수염, 코, 입과 이빨을 그리고 색칠하라고 한다.

④ 가면 아래 나무막대를 손잡이처럼 붙여 손잡이를 완성하게 한다.

— 함께 재미있는 상상을 해 보아요. 밤새 다니엘과 함께 있었던 사자는 무슨 생각을 했을까요? 성경은 단지 하나님이 사자의 입을 막으셨다고만 말해요. 사자들은 분명 다니엘을 잡아먹고 싶었을 것이에요. 하지만 그럴 수 없었지요! 하나님이 다스리시기 때문이에요. 하나님은 모든 일을 책임지세요. **어떻게 해야 하나님께 순종할 수 있나요? 하나님이 우리에게 순종할 힘을 주신다고 믿어요.**

선교사에게 보내는 편지 *

[준비물] 도화지, 연필, 색연필이나 사인펜, 커다란 봉투

① 교회가 후원하는 선교사들을 미리 파악해 둔다.

② 종이에 선교사들에게 보내는 편지를 함께 쓴다.

③ 직접 그림을 그리고 예쁘게 꾸미게 한다.

④ 선교사들의 섬김에 감사하며, 계속해서 하나님께 순종할 힘을 달라고 함께 기도한다.

— 지금도 다니엘처럼 어려운 상황에서 하나님께 순종하며 충성스러운 삶을 사는 분들이 계세요. 바로 선교사님들이에요. 선교사님들은 하나님의 말씀에 따라 새로운 곳으로 가기로 결단했고 순종했어요. 선교사님들이 어려운 상황에서도 힘과 용기를 내어 더욱 하나님께 충성할 수 있도록 응원의 편지를 보내며 함께 기도해요.

보물 상자

나만의 기록장

[준비물] 학생용 교재 20쪽, 연필이나 색연필

① 하나님께 순종할 3가지 약속을 그림이나 글로 표현해 보라고 한다.

② 언제나 하나님께 순종하는 삶을 살 수 있도록 서로를 위해 기도한다.

— 우리는 여러 가지 이유로 하나님께 순종하지 못하는 경우가 많아요. 그러나 하나님은 언제나 우리를 사랑하시기 때문에, 우리는 순종할 수 있도록 도와달라고 하나님께 기도할 수 있어요. 하나님은 우리가 예수님을 믿을 때 점점 더 예수님을 닮게 해 주세요. 순종은 하나님을 더욱 사랑하게 해요. 우리는 매일매일 더욱 하나님을 사랑하면서 순종할 수 있어요.

메시지 카드

이번 주 메시지 카드로 부모님과 함께 오늘 배운 성경 이야기를 나누어 보라고 한다.

기도

하나님, 예수님을 통해 우리의 죄를 용서하시고 구원해 주셔서 감사합니다. 하나님의 말씀에 순종하는 삶을 살기 원하면서도 불순종했던 모습들을 용서해 주세요. 매일매일 하나님을 더욱 사랑하며 순종할 수 있도록 성령님 도와주세요. 그래서 하나님께 영광 돌리는 삶을 살 수 있도록 함께해 주세요. 예수님의 이름으로 기도합니다. 아멘.

4

하나님의 백성을 고향으로 데려오셨어요

스 1:1~2:2, 2:64~3:13

단원 암송

그는 때와 계절을 바꾸시며
왕들을 폐하시고 왕들을 세우시며
지혜자에게 지혜를 주시고
총명한 자에게 지식을 주시는도다
(단 2:21).

성경의 초점

어떻게 해야 하나님께 순종할 수 있나요?
하나님이 우리에게 순종할 힘을 주신다고 믿어요.

본문 속으로

하나님의 백성은 70년 동안 바벨론에서 살았습니다. 바벨론에서 죽은 사람도 있었습니다. 하나님 백성의 아들딸과 손주들이 바벨론에서 태어나 성장하기도 했습니다. 하지만 바벨론은 그들의 고향이 아니었습니다.

이스라엘 백성이 포로로 끌려가기 전에 하나님은 예레미야 선지자를 통해 "이 민족들은 칠십 년 동안 바벨론의 왕을 섬기리라(렘 25:11)"라고 말씀하셨습니다. 그리고는 "바벨론에서 칠십 년이 차면 내가 너희를 돌보고 나의 선한 말을 너희에게 성취하여 너희를 이곳으로 돌아오게 하리라(렘 29:10)"라고 말씀하셨습니다. 이제 하나님의 백성이 고향으로 돌아갈 시간이 되었습니다.

페르시아(바사)의 왕 고레스가 바벨론을 정복했습니다. 고레스는 북 이스라엘과 남 유다 땅을 포함해 바벨론 왕국까지 차지했습니다. 다음 해, 하나님은 고레스의 마음을 기적처럼 바꾸셨습니다. 하나님은 고레스왕이 칙령을 발표하게 하십니다. 포로로 잡혀 온 남 유다 사람들은 모두 자유롭게 조상의 고향으로 돌아갈 수 있다는 명령이었습니다.

포로 생활은 끝났습니다! 하나님의 백성은 그들의 땅으로 돌아가게 되었습니다. 그들은 다시 그들의 땅으로 돌아가 하나님의 특별한 백성으로 살게 되었습니다. 포로 중 첫 번째 무리가 지도자인 스룹바벨과 함께 고향에 돌아왔습니다. 스룹바벨은 느부갓네살에게 포로로 잡혀 바벨론으로 끌려간 남 유다의 왕 여호야긴의 손자였습니다(왕하 24:8~13 참조).

에스라 2장 64~65절에 따르면 5만 명 가까운 사람들이 고향으로 돌아왔습니다. 예루살렘에 도착하자 그들은 갈대아 사람들이 파괴한 성전을 다시 짓기 시작했습니다(대하 36:19 참조).

티칭 포인트

성전은 하나님이 하나님의 백성을 만나는 장소였습니다. 예루살렘에 도착한 하나님의 백성은 하나님을 만나는 장소인 성전을 짓기 시작했다는 사실을 아이들에게 강조해 주십시오.

예수님은 하나님의 백성을 죄에서 구원하기 위해 이 땅에 오셨습니다. 예수님이 다시 오시면 이 땅을 회복시키시고 하나님의 백성과 영원히 함께하실 것입니다.

주 제

하나님이 고레스왕의 마음을 바꾸셔서 이스라엘 백성이 고향으로 돌아오게 하셨어요.

가스펠 링크

스룹바벨이 하나님의 백성을 이끌고 예루살렘으로 돌아와 성전의 기초를 세운 것처럼, 예수님은 다시 오셔서 모든 것을 회복시키시고 우리와 영원히 함께하실 거예요.

하나님의 백성을 고향으로 데려오셨어요 스 1:1~2:2, 2:64~3:13

하나님의 백성이 바벨론으로 잡혀가기 여러 해 전, 하나님은 예레미야 선지자를 통해 포로 생활이 70년간 계속될 것이라고 말씀하셨어요. 그리고 70년이 지나면 고향으로 돌아오게 하겠다고 약속하셨어요. 하나님은 언제나 약속을 기억하시고, 지키시는 분이세요.

페르시아의 왕 고레스가 바벨론을 차지한 후, 하나님은 고레스의 마음을 바꾸셨어요. 고레스는 하나님의 뜻에 따라 "하나님의 백성은 예루살렘으로 돌아가 하나님의 성전을 다시 지어라. 그들에게 금과 은과 가축들을 주어라. 하나님의 성전을 짓는 데 필요한 물건들을 선물로 주어라"라고 명령했어요.

이제 포로 생활은 끝났어요! 하나님의 백성은 고향으로 돌아가게 되었어요. 사람들은 짐을 싸고, 고향으로 돌아갈 준비를 했어요. 주변 사람들은 왕이 명령한 대로 이스라엘 사람들에게 금과 은과 가축과 다른 값진 물건들을 선물로 주었어요.

스룹바벨과 대제사장은 하나님의 백성을 이끌고 예루살렘을 향해 떠났어요. 그들은 70년 동안 고향을 떠나 살았어요. 그 사이 바벨론에서 태어난 사람들은 하나님이 부모와 조상에게 주신 땅을 본 적조차 없었지요. 수만 명의 사람이 고향 땅으로 돌아가 자기 고향의 성에 정착했어요. 그러고는 하나님의 성전을 다시 짓기 위해 예루살렘에 모였어요.

먼저, 제사장들이 하나님의 율법대로 제단을 쌓았어요. 제단이 완성되자 그 위에 번제를 드려 하나님을 예배했어요. 백성은 특별한 의식에 관한 율법도 모두 지켰어요. 하나님이 알려 주신 대로 절기를 지키면서 하나님께 제물을 드렸어요.

그다음, 하나님의 백성은 성전 짓는 일을 할 석공과 목수에게 돈을 주고, 건물을 세우는 데에 사용할 백향목을 샀어요. 마침내 모든 것이 준비되자 사람들은 성전을 짓기 위한 기초 공사를 시작했어요. 기초 공사는 튼튼한 건물을 짓기 위해 가장 먼저 해야 하는 중요한 일이에요.

성전의 기초를 놓을 때 제사장들은 예복을 입고, 백성은 하나님을 찬양했어요. 백성은 "하나님은 선하시니 하나님의 인자하심이 영원하리라"라고 외치며 큰 소리로 노래를 불렀어요. 그들은 너무나 행복했어요! 이제 성전의 기초가 완성되었으니까요!

그러나 모든 사람이 기뻐한 것은 아니었어요. 솔로몬왕이 지은 첫 성전을 보았던 나이 든 사람들은 자기 눈앞에 성전 기초가 놓이는 것을 보고 목 놓아 울었어요. 우는 소리와 기뻐 외치는 소리는 한데 어우러져 멀리서도 들을 수 있을 만큼 크게 울려 퍼졌어요.

●● 가스펠 링크

스룹바벨은 하나님의 백성을 이끌고 예루살렘으로 돌아와 성전의 기초를 세웠어요. 성전은 하나님이 이 땅에 사는 하나님의 백성을 만나는 장소였어요. 예수님은 하나님의 백성을 구원하기 위해 이 땅에 오셨어요. 예수님이 다시 오시면 모든 것이 회복되고, 우리는 하나님 나라에서 영원히 하나님과 함께할 거예요.

가스펠 준비

10~20분

환영

도착하는 아이들을 반갑게 맞이하고 헌금, 출석, QT 등을 확인하며 격려한다. 새 친구가 있다면 소개한다. 편안한 분위기에서 안부를 물으며 오늘의 말씀과 관련된 화제로 이야기를 나눈다. 집이나 학교를 오랫동안 떠났던 적이 있었는지 물어본다. 떠났다가 돌아왔을 때 기분이 어땠는지 이야기를 나누어 본다. 자발적으로 대화에 참여하도록 이끈다.

예) "오랫동안 집을 떠나 있었던 적이 있나요?", "다시 집에 돌아왔을 때 기분이 어땠나요?" 등.

— 하나님의 백성은 고향을 떠나 여러 해 동안 바벨론에서 살았어요. 하지만 하나님은 그들을 고향으로 돌려보내겠다고 약속하셨고, 그 약속을 지키셨어요. 그들은 고향에 오자마자 무엇을 했을까요? 자신의 집으로 뛰어갔을까요? 어떤 일을 가장 먼저 했을지 성경 이야기를 통해 알아보아요.

마음 열기

말씀 따라 집으로! *

[준비물] 마스킹 테이프, 의자, 책상, 책, '고향에 돌아온 것을 환영합니다' 문구, 스톱워치

① 예배실 한쪽에 마스킹 테이프로 큰 원을 만든다. 원 안에는 '고향에 돌아온 것을 환영합니다'라고 적힌 문구를 붙여 둔다.

② 원 둘레에 최소 3가지 구역을 나누고 장애물을 설치한다. 장애물 코스 중 한 군데는 성경 말씀을 외워야 통과할 수 있도록 한다.

예) 성경 구절 암송, 의자 넘기, 책상 밑으로 기어가기, 물건들 피해 가기 등.

③ 아이들에게 한 명씩 장애물을 순서대로 통과한 후, 원 안으로 도착해 "고향으로 돌아왔다!"라고 외치라고 한다.

④ 스톱워치로 장애물 코스를 끝내는 시간을 측정한다.

⑤ 가장 빠른 시간 안에 목적지에 도착한 아이가 이긴다.

— 고향에 오는 길이 쉽지 않았지요? 성경에는 고향에 돌아오기까지 힘들고 오랜 시간을 보낸 사람들의 이야기가 나와요. 누구일까요? 아이들의 대답을 기다린다. 맞아요, 바로 유다 사람들이에요. 그들은 하나님의 백성이었지만 여러 해 동안 고향을 떠나 살았어요. 그런데 그들은 어떻게 다시 고향으로 돌아올 수 있었을까요? 오늘 우리는 하나님의 백성이 포로 생활을 끝내고 고향으로 돌아온 이야기를 배울 거예요!

70년 포로 가위바위보 *

① 아이들에게 2명씩 짝을 지으라고 한다.

② 서로 가위바위보를 해서 7번을 먼저 이긴 아이가 승리한다고 말해 준다.

③ 한 번 이길 때마다 10년 단위로 세고, 왼쪽 손으로 이긴 횟수를 접어 가며 확인하게 한다.

예) 1번 이기면 10년, 2번 이기면 20년, 3번 이기면 30년

— 숫자 70까지 세는 시간이 길게 느껴졌나요? 오늘은 무려 70년 동안 포로 생활을 했던 하나님의 백성에 관한 이야기를 들을 거예요! 그들은 어떤 마음이었을까요? 함께 알아보기로 해요.

가스펠 설교

15~30분

들어가기

[준비물] 요리사 복장(앞치마, 모자), **사진 앨범**

요리사 복장을 하고, 사진 앨범을 들고 들어온다.

여러분 안녕하세요! 다시 만나서 반가워요. 여러분에게 전할 굉장한 소식이 있어요. 예전 손님들이 우리 식당을 다시 찾아오고 있어요. 이 사진 앨범을 사무실 구석에서 찾아냈는데, 이 앨범에는 예전에 단골이었던 고객들의 사진이 잔뜩 들어 있어요! 식당 상황이 나빠지면서 이 손님들이 더 이상 찾아오지 않았어요.

그런데 어제, 이 앨범 속 사진에 있는 손님이 우리 식당을 찾은 거예요! 그분은 음식 맛이 예전만 못하고 종업원들도 불친절해서 그동안 오지 않았다고 말했어요. 하지만 제가 식당 분위기를 바꾸고 있다는 소식을 듣고는 한번 와 보기로 했다는 거예요! 치즈 피자가 최고라고 말하기까지 했어요! 우리 식당의 단골손님을 다시 관리하기 위해 이 앨범을 계속 활용할 생각이에요.

짐작하겠지만 이 앨범은 어떤 성경 이야기를 생각나게 해요! 피자 식당이 이렇게 하나님 말씀을 계속 떠올리게 할지 누가 생각이나 했겠어요? 이 식당의 주인이 되어 정말 기뻐요.

연대표

다니엘과 친구들이 하나님께 순종했어요

사드락, 메삭, 아벳느고를 구하셨어요

다니엘을 구하셨어요

하나님의 백성을 고향으로 데려오셨어요

하나님의 백성은 포로 생활을 했어요. 그들은 오래전 하나님이 그들의 조상에게 주신 땅을 떠나 다른 나라에서 살아야 했어요. 그래서 다니엘과 다른 사람들은 바벨론과 페르시아 왕을 섬겨야 했지요. 하지만 이 세상을 다스리는 분은 하나님이세요. 연대표에서 오늘의 성경 이야기를 가리킨다. 이번 주에는 하나님의 백성이 어떻게 고향으로 돌아왔는지 배울 거예요!

성경의 초점

성경 이야기를 듣기 전에 '성경의 초점'의 질문과 답을 한 번 말해 볼까요? **어떻게 해야 하나님께 순종할 수 있나요?** 대답을 기억하는 사람이 있나요? 아이들의 대답을 기다린다. 맞아요! **하나님이 우리에게 순종할 힘을 주신다고 믿어요.**

성경 이야기

DVD 에스라 1장 1절~2장 2절, 2장 64절~3장 13절을 펴고, 설교 영상(지도자용 팩)을 보여 주거나 이야기 성경을 들려준다.

세상에! 하나님의 신실하심과 능력을 보여 주는 정말 놀라운 이야기예요! 하나님의 백성은 70년 동안 포로 생활을 했어요. 하지만 하나님이 약속하신 시간이 되자, **하나님이 고레스왕의 마음을 바꾸셔서 이스라엘 백성이 고향으로 돌아오게 하셨어요.** 스룹바벨은 하나님의 백성을 이끌고 예루살렘으로 돌아와 성전을 다시 지었어요. 성전은 하나님이 이 땅에서 하나님의 백성을 만나는 곳이에요. 성전 건축을 위한 기초 공사가 끝나자 사람들은 너무나 기뻤어요. 하지만 나이가 많은 사람들은 다시금 성전의 기초가 놓이자 눈물을 흘렸어요. 그들 모두 고향으로 돌아와 하나님의 신실하심을 믿으며 하나님께 순종하는 법을 배우고 있었어요.

어떻게 해야 하나님께 순종할 수 있나요? 하나님이 우리에게 순종할 힘을 주신다고 믿어요. 예수님은 사람들을 죄에서 구원하시기 위해 이 땅에 오셨어요. 예수님은 언젠가 하나님의 백성을 위해 이 땅에 다시 오셔서 영원히 우리와 함께하실 거예요. 예수님이 다시 오시면 모든 슬픔은 사라질 거예요! 모든 것이 완전해지기 때문에 우는 사람도 없을 거예요. 오늘 성경 이야기를 기억하며 복습하는 시간을 가져 볼까요?

복/습/질/문

1 하나님의 백성이 고향으로 돌아갈 수 있도록 허락한 페르시아의 왕은 누구인가요?

고레스 (스 1:1)

2 하나님의 백성을 이끌고 고향으로 돌아간 사람은 누구인가요?

스룹바벨 (스 2:2)

3 고향으로 돌아간 백성은 제일 먼저 무엇을 했나요?

제단을 만들고 번제를 드렸다 (스 3:2~3)

4 성전의 기초가 완성되었을 때 사람들은 어떤 반응을 보였나요?

어떤 사람들은 기뻐하고, 어떤 사람들은 슬퍼했다 (스 3:11~12)

5 어떻게 해야 하나님께 순종할 수 있나요?

하나님이 우리에게 순종할 힘을 주신다고 믿어요.

찬양

구원을 얻으리

여호와는 신실하신 하나님
모든 민족과 역사 주 다스리시네
주의 백성을 다시 일으키시네
주께 순종할 힘 주시네
주가 도와주시네

구원을 얻으리 불 가운데에서도
구원을 얻으리 무서운 사자 굴에서도
신실하신 하나님 나의 힘이 되시네
두려움 나 없으리
구원을 얻으리.

DVD ※지도자용 팩 또는 가스펠 프로젝트 홈페이지(gospelproject.co.kr)에서 이용하세요.

복음 초청

성경과 45쪽 복음 초청 가이드를 이용해서 아이들에게 그리스도인이 되는 법을 설명해 준다. 따로 상담해 줄 사람을 정해 주고 궁금한 점이 있으면 물어보도록 격려한다.

이 시간 예수님을 마음에 모시고 싶은 친구는 함께 기도해요.

기도

신실하신 하나님, 이스라엘 백성과 하셨던 약속을 이루신 하나님을 찬양합니다. **하나님이 고레스왕의 마음을 바꾸셔서 이스라엘 백성이 고향으로 돌아오게 하셨다**는 것을 배웠습니다. 하나님의 백성에게 순종할 힘을 주셨던 것처럼 우리에게도 순종할 힘을 주세요. 그래서 하나님의 말씀대로 살아갈 수 있도록 성령님 함께해 주세요. 예수님의 이름으로 기도합니다. 아멘.

적용

TIP 설교 도입이나 적용으로 활용하거나 영상을 본 뒤 소그룹으로 나누어 풍성한 대화를 이어 갈 수 있습니다.

DVD 적용 예화 영상(지도자용 팩)을 보여 준다.

드디어 고향으로 돌아온 하나님의 백성은 정말 흥분했을 거예요. 오랫동안 집을 떠나본 적이 있나요? 그러다 집으로 돌아왔을 때 어떤 기분이었나요?

집에 있으면 무엇 때문에 편안한지 이야기를 나누어 본다.

오랫동안 집을 떠나 있으면 왜 그렇게 집으로 돌아오고 싶은지 아이들에게 물어본다.

집은 집이라는 이유만으로 편안함을 주어요. 다른 곳에서 불편하게 지내던 것과 달리 집으로 오면 편안함과 행복감을 느껴요. 하나님은 우리를 위해 거할 곳을 주신다고 말씀하세요. 언젠가 예수님이 이 땅에 다시 오셔서 세상을 바로잡으시고 예수님을 믿는 우리에게 예수님과 영원히 지낼 수 있는 집을 주실 거예요. 그 집에 간다면 정말 행복할 것 같지 않나요?

가스펠 소그룹

10~20분

나침반

교회를 지어요!

[준비물] 1단원 암송(108쪽), 화이트보드(칠판), 보드마커(분필), 보드 지우개, 포스트잇

① 화이트보드에 간단하게 교회 모양을 그린다. (네모난 건물에 세모 지붕을 그리고 그 위에 십자가를 그린다.)

② 1단원 암송 구절의 중요 단어에 포스트잇을 붙여 가려 둔다.

③ 아이들에게 가려진 곳에 들어갈 단어를 맞히라고 한다.

④ 아이들이 맞히지 못하면 교회 그림에서 선을 하나씩 지운다.

⑤ 단어를 맞히면 지운 선을 하나씩 다시 그려 그림을 완성한다.

— 다니엘 2장 21절 말씀은 하나님이 세상의 모든 것을 다스리신다는 사실을 생각하게 해요. 하나님은 페르시아의 왕 고레스를 사용해 포로로 잡혀왔던 하나님의 백성이 고향으로 돌아가게 하셨어요.

보물 지도

고향으로 돌아왔어요

[준비물] 학생용 교재 24쪽, 연필

이제 [포][로] 생활은 끝났어요!

하나님의 백성은 [고][향] 으로 돌아가게 되었어요.

먼저, 제사장들이 하나님의 말씀대로 [제][단] 을 쌓고,

그 위에 번제를 드려 하나님을 [예][배] 했어요.

하나님의 백성은 [성][전] 을 짓기 위한

기초 공사를 시작했어요.

기초 공사가 끝나자 제사장들과 레위 자손들은

크게 [기][뻐] 하고 하나님을 [찬][양] 했어요.

그러나 첫 성전을 보았던 사람들은

자기 눈앞에 성전 기초가 놓이는 것을 보고

[울][음] 을 터뜨렸어요.

① 초성 힌트를 보고 모음을 추가하여 글을 완성하게 한다.

② 완성된 글을 읽으며, 포로 생활이 끝나고 돌아온 이스라엘 백성의 모습을 상상해 보게 한다.

— 고향으로 돌아온 이스라엘 백성은 무너진 성전을 다시 짓기 시작했어요. 성전이 완성되자 하나님께 기쁨의 예배를 드렸어요. 우리의 마음은 하나님이 계신 성전이에요. 우리의 성전은 어떤가요? 잘 지어져 있나요? 아니면 무너져 있나요? 하나님의 말씀을 마음에 새기며 성전을 튼튼히 세우기를 소망해요. 오늘의 성경 이야기를 통해 하나님이 이스라엘 백성을 끝까지 사랑하셨다는 것을 볼 수 있어요. 그들을 버리지 않으셨고 신실하게 약속을 지키신 하나님을 기억하길 바라요.

공을 던져라! *

[준비물] 성경, 탱탱볼

① 성경을 펴고 에스라 1장 1절~2장 2절, 2장 64절~3장 13절을 찾으라고 한다.

② 인도자가 질문하고 한 아이에게 공을 건네면, 공을 받은 아이는 답을 말해야 한다고 일러 준다.

③ 답을 말하지 못하면 성경에서 답을 찾도록 도와준다. 그래도 모르면, 답을 알 것 같은 아이에게 공을 주라고 한다.

④ 답을 말한 아이는 공을 다시 인도자에게 던져 질문과 답을 계속 이어 간다.

1 하나님은 고레스가 다스린 지 몇 년에 하나님의 백성을 고향으로 돌려보냈나요?

원년 또는 첫해 (스 1:1)

2 누가 고향에 돌아갈 준비를 했나요?

유다와 베냐민 족장들, 제사장들, 레위 사람들 (스 1:5)

3 예루살렘의 성전이 있던 자리에 도착했을 때 사람들은 무엇을 드렸나요?

금, 은, 제사장들의 옷 (스 2:69)

4 고향으로 돌아온 사람들은 제일 먼저 무엇을 만들었나요?

제단 (스 3:1~3)

5 성전의 기초가 놓였을 때 어떤 사람들은 왜 기뻐서 소리쳤나요?

고향으로 돌아와서 기뻤고, 무너진 하나님의 집이 다시 세워지기 시작했기 때문이다 (스 3:11)

6 성전의 기초가 놓였을 때 어떤 사람들은 왜 울음을 터뜨렸나요?

그들은 첫 성전을 보았고, 이제 이 성전의 기초가 놓임을 보았기 때문이다 (스 3:12)

— 하나님은 하나님의 백성이 포로 생활을 할 때도 끝까지 사랑하셨어요. 하나님은 그들을 고향으로 돌아오게 하겠다고 약속하셨고, 그대로 행하셨어요. 예수님은 이 땅에 다시 오셔서 예수님을 믿는 사람들을 하나님의 나라로 데려가 영원히 함께할 것이라고 약속하셨어요. 그날이 언제인지 우리는 알 수 없지만, 하나님의 약속을 믿을 수 있어요.

탐험하기

고향에 돌아온 이스라엘 백성

[준비물] 학생용 교재 25쪽, 연필이나 색연필

① 24쪽의 글을 참고하여 이스라엘 백성의 얼굴에 표정을 그려 보게 한다.

② 내가 그 자리에 있었다면 어떤 반응을 했을지 상상하며 그림을 그려 보게 한다.

예시

— **하나님이 고레스왕의 마음을 바꾸셔서 이스라엘 백성이 고향으로 돌아오게 하셨어요.** 하나님은 신실하게 약속을 지키시는 분이세요. 예수님은 이 땅에 다시 오셔서 우리를 회복시키시겠다고 약속하셨어요. 하나님은 이 약속도 반드시 이루실 거예요.

70년 얼음! 땡! *

[준비물] 스톱워치(시계)

① 술래 한 명을 정한다. 나머지 아이들은 술래에게 잡히지 않도록 도망가야 한다고 말해 준다.

② 술래에게 잡힌 아이들은 지정된 장소(감옥)에 포로가 되어 잡혀 있어야 하며, 70초 후 다시 놀이에 참여할 수 있다고 알려 준다.

③ 술래를 바꾸어 놀이를 여러 번 반복한다.

— 하나님은 이스라엘 백성이 포로로 끌려간 지 70년이 지나자 그들을 고향으로 돌아오게 하셨어요. 하나님이 약속을 지키신 거예요. 예수님도 이 땅에 다시 오셔서 예수님을 따르는 사람들을 하나님의 집으로 데려가 영원히 함께하겠다고 약속하셨어요. 예수님을 믿는 사람들은 예수님의 약속에 따라 구원받을 수 있다는 것을 기억하세요.

왜 무너졌을까요? *

[준비물] 종이, 펜, 가위, 접착테이프, 젠가

① 종이를 젠가 조각보다 조금 작은 크기로 여러 장 잘라 둔다.

② 아이들에게 종이와 펜을 나누어 주고, 자신이 지은 죄의 내용을 쓰게 한다.

예) 미움, 다툼, 시기, 질투, 욕, 음란, 왕따, 불순종 등.

③ 죄의 내용을 쓴 종이를 젠가 조각에 하나씩 붙이라고 한다.

④ 젠가를 다 쌓은 후, 돌아가면서 죄의 조각을 하나씩 빼라고 한다.

⑤ 젠가가 무너지면 우리와 교회를 무너뜨리는 죄에 관해 설명하면서 놀이를 반복한다.

— 우리가 쌓은 탑이 무너진 이유는 무엇이었나요? 바로 우리가 지은 죄 때문이었어요. 하나님은 이 세상을 아름답게 만드셨지만, 우리의 죄 때문에 망가지고 말았어요. 하나님은 하나님의 성전을 통해 우리를 회복시키기 원하셨지만, 이 또한 우리의 불순종과 죄악으로 무너졌어요. 그러나 실망하지 마세요. 예수님이 오셔서 무너진 성전을 세우시고, 절대 무너지지 않을 영원한 하나님 나라를 세우셨어요.

보물 상자

나만의 기록장

[준비물] 학생용 교재 26쪽, 연필이나 색연필

① 하나님은 언제나 약속을 지키는 분이심을 설명한다.

② 하나님이 나의 기도를 들으시거나, 약속을 지키신 것이 있다면 그림이나 글로 표현해 보라고 한다.

— 하나님이 아주 멀리 계시는 것처럼 느껴질 때도 있어요. 하나님이 약속을 언제 지키실지, 약속을 잊어버리지는 않으셨는지 의심이 들 때도 있어요. 하나님의 시간은 우리가 생각하는 시간과 다르지만, 우리는 하나님이 이루셨던 멋진 약속들을 되돌아볼 수 있어요. 하나님은 우리에게 하신 약속들을 반드시 지키셨고, 앞으로도 지키실 거예요.

메시지 카드

이번 주 메시지 카드로 부모님과 함께 오늘 배운 성경 이야기를 나누어 보라고 한다.

기도

하나님, 이스라엘 백성을 고향으로 돌아가게 하겠다는 약속을 지키신 것을 배웠습니다. 언제나 약속을 지키시는 신실하신 하나님을 찬양합니다. 하나님이 약속을 이루신다는 것을 항상 믿고 따라야 하는데, 때때로 약속을 잊고 살아갈 때가 많습니다. 하나님의 약속을 기억하며 항상 하나님과 함께하는 우리가 되도록 도와주세요. 예수님의 이름으로 기도합니다. 아멘.

복음 초청 가이드

나를 위한 하나님의 멋진 계획

'복음'이라는 말을
들어 본 적 있니?
복음이란
'좋은 소식'이라는 뜻이야.
우리에게 보내신 하나님의
좋은 소식이 무엇일까?

하나님은 세상을 만드셨단다

하나님은 온 세상을 만드셨고 사람을 아름답게 창조하셨어.
(창세기 1:1; 골로새서 1:16~17; 요한계시록 4:11)

사람들은 죄를 짓고 하나님을 떠났어

그런데 사람들은 모두 죄를 지었고 하나님에게서 떠나 버렸어.
죄를 짓고 하나님과 관계가 끊어진 사람들은 결국 죽을 수밖에 없단다.
(로마서 3:23, 6:23)

하나님은 구원 계획을 갖고 계신단다

우리는 아무리 노력해도 하나님과 하나 될 수 없었고 죽을 수밖에 없었어. 그래서 하나님은 우리를 구원하시고 다시 살리시기 위해서 예수님을 보내 주셨단다.
(요한복음 3:16; 에베소서 2:8~9)

예수님이 우리에게 생명을 주셨어

예수님은 우리의 죄를 씻어 주시려고 십자가에서 우리 대신 죽으셨단다. 우리는 예수님 때문에 다시 깨끗해졌고 하나님과 함께 살 수 있게 되었어. 예수님이 자기의 생명을 내어 주셨기 때문에 우리는 영원한 생명을 얻을 수 있게 되었고 하나님과 함께 살 수 있게 되었어.
이것이 하나님의 최고의 선물이야!
(로마서 5:8; 고린도후서 5:21; 베드로전서 3:18)

예수님! 우리 마음에 오세요!

예수님을 믿고 마음에 받아들이면 하나님의 자녀가 된단다.
이것이 가장 좋은 소식, 복된 소식, 복음이란다.
(요한복음 1:12~13; 로마서 10:9~10, 13)

예수님을 영접하기 원하는 어린이가 있다면 개인적으로 상담하고 영접 기도를 할 수 있도록 도와주세요.

예수님이 ○○를 사랑하시는 것을 믿겠니?
예수님이 ○○의 죄를 씻어 주신 것을 믿겠니?
예수님을 ○○의 마음에 받아들이겠니?

믿음을 고백하고 예수님을 영접하기 원하는 어린이를 위해 간절히 기도해 주세요.

이제 ○○는 하나님의 자녀(아들, 딸)가 되었어!
이것이 예수님을 통해 ○○에게 이루어 주신 하나님의 계획이야!
○○야, 하나님의 자녀(아들, 딸) 된 것을 축하해!

5

성전을 다시 지었어요

스 4:1~7, 5:1~5, 6:1~22

단원 암송

그는 때와 계절을 바꾸시며
왕들을 폐하시고 왕들을 세우시며
지혜자에게 지혜를 주시고
총명한 자에게 지식을 주시는도다
(단 2:21).

성경의 초점

어떻게 해야 하나님께 순종할 수 있나요?
하나님이 우리에게 순종할 힘을 주신다고 믿어요.

본문 속으로

예루살렘에 성전의 기초를 놓은 지 얼마 지나지 않아 공사가 중단되었습니다. 그러나 선지자 학개와 스가랴의 격려로 하나님의 백성은 다시 성전을 짓기 시작했습니다. 공사가 멈추고 15년 가까이 지난 때였습니다.

이 당시 페르시아의 왕은 다리오였습니다. 페르시아 제국은 어마어마하게 커서, 다리오왕은 각 지역을 다스릴 총독을 임명했습니다. 닷드내라는 총독이 유다 땅을 포함한 주변 지역을 다스리게 되었습니다.

닷드내는 하나님의 백성이 하는 일을 눈여겨보며 관심을 가졌습니다. 그러고는 왕에게 편지를 보냈습니다. "과연 고레스왕이 조서를 내려 하나님의 이 성전을 예루살렘에 다시 건축하라 하셨는지" 조사해 달라고 요청했습니다(스 5:17 참조).

조사해보니 과연 바벨론의 문서 보관소에 고레스왕의 칙령이 있었습니다. 왕은 닷드내에게 사람들이 성전과 성을 다시 지을 수 있게 도우라고 지시합니다.

티칭 포인트

하나님의 섭리하심으로 하나님의 백성이 성전을 완성했다는 사실을 아이들에게 알려 주십시오. 하나님은 왕의 마음을 바꾸셨고, 어려움을 극복할 힘을 주셨습니다. 하나님의 백성은 기쁜 마음으로 하나님께 성전을 바치고, 유월절을 지켰습니다.

학개 2장 9절에서 하나님은 이 두 번째 성전의 영광이 첫 번째 성전보다 더 클 것이라고 선언하십니다. 이 예언은 하나님의 아들 예수님을 통해 이루어집니다. 예수님은 자신이 성전보다 더 크다고 말씀하셨습니다(마 12:6 참조).

성전은 그저 그림자였을 뿐이라는 사실을 예수님에게서 발견합니다. 하나님은 건물 안에만 계시지 않았습니다. 그러나 예수님 안에서 신성이 충만하게 살아 계십니다(골 2:9 참조). 예수님은 우리의 대제사장이십니다. 예수님은 우리를 위해 가장 신성한 장소로 들어가셨습니다(히 6:19~20 참조). 제사장은 동물의 피를 드렸지만, 예수님은 자신의 피를 단번에, 그리고 완전히 드렸습니다(히 9:25~26 참조). 예수님으로 인해 우리는 지성소에 들어갈 수 있습니다(히 10:19~22 참조).

주 제

하나님은 하나님의 백성이 성전을 다시 짓도록 도우셨어요.

가스펠 링크

성전이 완성되자 하나님의 백성에게 하나님을 예배할 장소가 생겼어요. 이제 하나님은 하나님의 백성과 직접 만나세요. 예수님 덕분에 우리는 성전이 아니라도 하나님과 함께 지낼 수 있어요.

성전을 다시 지었어요 스 4:1~7, 5:1~5, 6:1~22

예루살렘으로 돌아온 하나님의 백성은 성전을 다시 짓기 시작했어요. 성전의 기초 공사를 마쳤지만, 성전이 다시 세워지는 것을 싫어하는 적들이 공사를 방해했어요. 결국, 사람들은 성전 공사를 중단했어요. 하나님은 선지자 학개와 스가랴를 보내 백성에게 용기를 불어 넣으셨어요. 스룹바벨과 예수아 등 지도자들은 다시 힘을 내어 성전 공사를 시작했어요.

이때 닷드내라는 이름의 총독이 성전 짓는 광경을 지켜보았어요. 닷드내 총독은 페르시아의 다리오왕 밑에서 일하면서 유다와 그 주변 지역을 다스리고 있었어요.

닷드내 총독은 성전 일을 하는 스룹바벨과 다른 사람들에게 "누가 이 성전을 다시 지으라고 허락했소?"라고 물었어요. 그러고는 다리오왕에게 이렇게 편지를 보냈어요. "다리오왕께 문안드립니다. 유다 사람들이 위대한 하나님의 성전을 짓고 있어 편지를 드립니다. 그들 말로는 고레스왕이 성전을 다시 지으라는 명령을 내렸다고 합니다. 부디 왕실 기록을 조사해 이 말이 사실인지 확인해 주십시오." 닷드내 총독이 답장을 기다리는 동안 하나님의 백성은 계속 성전을 지었어요.

편지를 받은 다리오왕은 관리들에게 왕실 기록을 찾아보게 했어요. 보관된 서류 중에서 고레스왕의 명령이 기록된 두루마리를 발견했지요. 두루마리에는 "하나님의 성전을 다시 세워라. 희생제사와 번제를 드리는 성전을 다시 지어라"라고 쓰여 있었어요. 심지어 성전을 짓는데 필요한 비용을 주겠다는 내용도 있었어요.

다리오왕은 닷드내 총독에게 답장을 보냈어요. "예루살렘에서 성전을 짓는 사람들을 그대로 두어라. 그들을 괴롭히지 말고 공사를 중단시키지 말라. 그들이 필요한 것은 무엇이든 주어라. 누구든 하나님의 성전을 파괴하려고 하면 하나님이 그를 멸망시키실 것이다!"

닷드내 총독과 관리들은 왕의 명령을 따랐어요. 유다 지도자들은 공사를 계속 진행해 드디어 하나님의 성전을 완성했어요! 사람들은 기뻐하며 성전을 바치는 제사를 드렸어요. 제사장들과 성전에서 하나님을 섬길 사람들도 뽑았지요.

그런 다음 하나님의 백성은 유월절을 지켰어요. 유월절 양을 잡고 유월절 음식을 먹었어요. 하나님이 하나님의 백성을 돕도록 다리오왕의 마음을 바꾸셨기 때문에 하나님의 백성은 너무나 기쁘고 행복했어요. 마침내 성전이 완성되었어요.

●● 가스펠 링크

성전이 완성되자 하나님의 백성에게 하나님을 예배할 장소가 생겼어요. 오랜 시간이 지난 후, 하나님은 예수님을 보내 하나님의 백성과 함께하게 하셨어요. 예수님은 십자가에서 죽으시고 살아나셔서 우리 죄의 문제를 해결하셨어요. 이제 하나님은 성전에만 계시지 않고 하나님의 백성과 직접 만나세요. 예수님 덕분에 우리는 성전이 아니라도 하나님과 함께 지낼 수 있어요.

가스펠 준비

10~20분

환영

도착하는 아이들을 반갑게 맞이하고 헌금, 출석, QT 등을 확인하며 격려한다. 새 친구가 있다면 소개한다. 편안한 분위기에서 안부를 물으며 오늘의 말씀과 관련된 화제로 이야기를 나눈다. 아이들에게 자신이 만든 물건 중 자랑하고 싶은 것이 있는지 물어본다. 자발적으로 대화에 참여하도록 이끈다.

예) "자신이 만든 물건 중 자랑하고 싶은 것이 있나요?", "왜 그 물건이 자랑스러운가요?" 등.

── 정말 멋진 물건들을 만들었군요! 오늘 성경 이야기 속 사람들도 아주 멋진 성전을 만들었어요. 하나님의 백성이 어떻게 성전을 다시 지었는지, 그 후에 어떤 일들이 일어났는지 배울 거예요. 기대되지 않나요?

마음 열기

다시 세워졌어요 *

[준비물] 블록, 고무공

① 아이들을 2팀으로 나눈다.

② 블록을 이용해 가능한 가장 높고 튼튼한 건물을 지으라고 한다.

③ 건물이 완성되면, 아이들에게 공을 던져 건물을 무너뜨리라고 한다.

④ 건물이 다 무너지지 않으면, 아이들에게 직접 무너뜨리라고 한다.

── 원수들이 하나님의 성전을 무너뜨렸어요. 오늘 우리는 고향으로 돌아온 이스라엘 사람들이 성전을 어떻게 다시 지었는지 배울 거예요. 그리고 파괴되었다가 1주일도 되지 않아 다시 세워진 어떤 성전에 관해서도 배울 거예요!

내가 기억하는 성전 *

DVD **[준비물] '내가 기억하는 성전'**(지도자용 팩), **스톱워치, 종이, 색연필**

① '내가 기억하는 성전'을 출력하여 준비해 둔다.

② 아이들에게 1분 동안 그림을 보여 주고 난 후, 그림을 덮어 둔다.

③ 아이들에게 그림에서 본 성전을 2분 동안 가능한 한 정확하게 그리라고 한다.

④ 시간이 되면 성전 그림을 다시 보여 주고 누가 가장 똑같이 그렸는지 확인한다.

── 오늘 성경 이야기에서 하나님의 백성은 성전을 다시 지었어요. 솔로몬이 지은 성전과 똑같지는 않았지만, 아주 비슷했을 거예요. 감사하게도 하나님은 하나님의 성전에 대해 자세하게 알려 주셨어요. 사람들은 기억 속에 있는 성전의 모습이 아닌 하나님이 가르쳐 주신 대로 다시 성전을 지을 수 있었어요.

우리가 그린 교회 *

[준비물] 2절지 2장, 펜, 색연필이나 크레파스, 가위(칼), 양면테이프

① 2절지에 교회를 크게 그린 후, 그림을 인원수만큼 조각낸다.

② 아이들에게 그림 조각을 나누어 주고, 그림을 색칠하라고 한다.

③ 색칠한 그림을 원래 모양대로 퍼즐 맞추기를 하라고 한다.

④ 양면테이프를 이용해 그림 조각을 2절지에 붙여 완성하게 한다.

── 그림을 한 조각씩 받아 자신만의 색으로 교회 그림의 한 부분을 채워갔어요. 그리고 모든 조각을 맞추었을 때 멋진 교회가 완성되었지요. 오늘 우리는 하나님의 백성이 어떻게 성전을 다시 지었는지, 그 후에 어떤 일들이 일어났는지 배울 거예요.

가스펠 설교

15~30분

들어가기

[준비물] 요리사 복장(앞치마, 모자), **피자 소스, 밀가루**

요리사 복장을 하고 들어온다. 앞치마에는 피자 소스가 이리저리 튀어 있고, 얼굴과 몸에는 온통 밀가루가 묻어 있다.

안녕하세요, 여러분! 아마 여러분은 절대 믿지 못할 거예요. 제가 결국 해냈어요! 사실 우리 식당의 치즈 피자의 도우는 쫄깃하고 정말 최고지만 피자 소스는 웃음거리였어요. 저는 우리나라 최고의 피자 소스를 만들기 위해 새로운 요리법을 연구했고, 드디어 해냈어요!

여러분도 잘 알다시피 기본 재료는 토마토예요. 토마토에 양념과 향신료, 다른 비밀 재료들을 조금씩 첨가해 깊고 풍부한 맛의 소스를 만들어 냈지요! 토마토의 신맛을 줄이기 위해 딱 맞는 양의 단맛을 첨가했어요. 알싸한 마늘과 바질이 정말 잘 어울려요. 훈제한 파프리카를 조금 넣어 은은하게 나무 냄새가 나고, 빨간 고추의 얼얼한 맛도 약간 첨가했어요. 오, 더 이상은 알려 줄 수 없어요. 이건 우리 식당만의 비밀 무기니까요. 드디어 저만의 특별 소스를 완성해서 너무 기뻐요! 정말 흥분되는 일이에요! 아, 맞다! 소스를 만들다가 가장 중요한 것을 잊었네요. 성경 이야기! 성경 이야기가 생각났어요! 한번 들어볼래요?

연대표

다니엘을 구하셨어요

하나님의 백성을 고향으로 데려오셨어요

성전을 다시 지었어요

에스더를 왕비로 세우셨어요

지난주 우리는 **하나님이 고레스왕의 마음을 바꾸셔서 이스라엘 백성이 고향으로 돌아오게 하셨다**는 성경 이야기를 배웠어요. 고향에 돌아온 그들은 하나님이 하나님의 백성을 만나는 장소인 성전을 다시 짓기 시작했어요. 연대표에서 오늘의 성경 이야기를 가리킨다. 오늘 성경 이야기의 제목은 "성전을 다시 지었어요"예요. 제목만 듣고도 무슨 일이 일어났는지 짐작할 수 있겠지요?

성경의 초점

성경 이야기를 듣기 전에 누가 '성경의 초점'을 이야기해 줄 수 있나요? 아이들의 대답을 기다린다. 잘했어요! 우리는 **어떻게 해야 하나님께 순종할 수 있나요? 하나님이 우리에게 순종할 힘을 주신다고 믿어요.**

성경 이야기

DVD 에스라 4장 1~7절, 5장 1~5절, 6장 1~22절을 펴고, 설교 영상(지도자용 팩)을 보여 주거나 이야기 성경을 들려준다.

하나님의 백성이 성전을 다시 짓기 시작했을 때 몇 가지 어려움에 부딪혔어요. 결국, 성전 짓는 일을 멈추게 되었지요. 하지만 하나님은 성전 짓기가 멈추는 것을 바라지 않으셨어요. 하나님은 하나님의 사람들을 격려하기 위해 학개 선지자와 스가랴 선지자를 보냈어요.

용기를 얻은 백성은 성전을 다시 짓기 시작했어요. 지도자인 스룹바벨이 사람들을 도왔어요. 하나님의 백성은 이전보다 더 큰 어려움에 부딪혔지만, 이번에는 중단하지 않았어요. **하나님은 하나님의 백성이 성전을 다시 짓도록 도우셨어요.** 성전이 완성되자 드디어 하나님의 백성은 하나님을 예배할 장소를 가지게 되었어요!

오랜 시간이 지난 후, 하나님은 아들이신 예수님을 보내 하나님의 백성과 함께하게 하셨어요. 예수님은 십자가에서 죽으시고 살아나셔서 우리 죄의 문제를 해결하셨지요. 이제 하나님은 성전에만 계시지 않고 하나님의 백성과 직접 만나세요. 예수님 덕분에 우리는 언제나 어디서나 하나님을 만날 수 있어요.

예수님은 십자가에서 죽으시기 전 바리새인들에게 "이 성전을 허물라. 그러면 내가 3일 만에 다시 세우겠다(요 2:19)"라고 말씀하셨어요. 이 말씀은 예수님의 죽음과 부활에 관한 말씀이에요. 예수님은 십자가에서 죽으시고 부활하시면서 모든 것을 바꾸셨어요. 하나님은 언제나 하나님의 백성과 함께하시기 때문에 우리는 항상 하나님을 만날 수 있어요. 하나님은 성령님을 보내 예수님을 믿는 모든 사람과 함께하게 하셨어요. 성령님은 하나님의 백성이 하나님을 사랑하고 하나님께 순종하도록 이끌어 주세요.

찬양

구원을 얻으리

여호와는 신실하신 하나님
모든 민족과 역사 주 다스리시네
주의 백성을 다시 일으키시네
주께 순종할 힘 주시네
주가 도와주시네

구원을 얻으리 불 가운데에서도
구원을 얻으리 무서운 사자 굴에서도
신실하신 하나님 나의 힘이 되시네
두려움 나 없으리
구원을 얻으리.

※지도자용 팩 또는 가스펠 프로젝트 홈페이지(gospelproject.co.kr)에서 이용하세요.

복음 초청

성경과 45쪽 복음 초청 가이드를 이용해서 아이들에게 그리스도인이 되는 법을 설명해 준다. 따로 상담해 줄 사람을 정해 주고 궁금한 점이 있으면 물어보도록 격려한다.

이 시간 예수님을 마음에 모시고 싶은 친구는 함께 기도해요.

기도

사랑하는 하나님, 죄로 인해 죽을 수밖에 없는 우리를 구원하기 위해 예수님을 보내 주셔서 감사합니다. 하나님의 백성이 하나님께 순종해 성전을 다시 지었던 것처럼 우리도 하나님께 순종하며 하나님이 기뻐하시는 일을 할 수 있도록 인도해 주세요. 우리의 몸과 마음이 하나님이 기뻐하시는 성전이 되기를 원합니다. 날마다 하나님의 말씀 앞에서 우리를 돌아볼 수 있도록 도와주세요. 예수님의 이름으로 기도합니다. 아멘.

적용

TIP 설교 도입이나 적용으로 활용하거나 영상을 본 뒤 소그룹으로 나누어 풍성한 대화를 이어 갈 수 있습니다.

어떤 일을 할 때 절대 끝나지 않을 것 같다고 느낀 적이 있나요? 주변 사람들이 그만 포기하라고 말하는 일을 계속한 적이 있나요? 그 경험을 떠올리며 함께 영상을 보기로 해요.

적용 예화 영상(지도자용 팩)을 보여 준다.

아이는 왜 친구들처럼 놀지 못하고 계속 일했는지 물어본다.

어떤 경우 일을 끝마치기보다 포기하는 것이 편하게 느껴지는지 이야기를 나누어 본다. 열심히 일하면서 어떻게 하나님께 영광을 돌릴 수 있는지 아이들에게 물어본다.

우리가 하는 일과 놀이를 하나님께 영광을 돌리는 통로로 생각하면, 일과 놀이를 대하는 우리의 마음과 태도도 바뀌어요. 우리가 하는 모든 일을 하나님의 영광을 위해 할 때, 하나님은 우리에게 순종할 힘을 주시고 우리를 통해 영광 받으실 거예요.

가스펠 소그룹

10~20분

나침반

암호를 풀어라!

[준비물] 학생용 교재 30쪽, 연필

① 문장 속의 기호를 보고, 힌트를 따라 암호를 풀어 다니엘 2장 21절을 완성해 보라고 한다.

② 완성된 성경 구절을 여러 번 읽어 암송하게 한다.

그는 때 와 계절 을 바꾸시며 왕 들을 폐하시고 왕들을 세우시며 지혜자에게 지혜 를 주시고 총명 한 자에게 지식을 주시는도다

다니엘 2장 21절

암호

= 오른쪽으로 2칸 위로 1칸

= 왼쪽으로 2칸 아래로 1칸

= 오른쪽으로 1칸 아래로 2칸

= 오른쪽으로 2칸 위로 2칸

= 왼쪽으로 2칸 위로 2칸

여호와	지혜	성읍	환상	백성	계절	지혜
성소	성령	나라	하나님	말씀	때	블레셋
유다	방언	믿음	시작	머리	율례	말씀
불의	왕	별	믿음	언약	만민	예언
겸손	용서	지식	사랑	총명	법	이집트

— 다니엘 2장 21절 말씀을 통해 하나님의 다스림을 볼 수 있어요. 다니엘은 하나님이 때와 계절을 바꾸신다고 말했어요. 그리고 지혜자에게는 지혜를, 총명한 자에게는 지식을 주시는 분이라고 고백했지요. 하나님은 온 세상을 다스리시고, 하나님을 믿고 의지하는 자들에게 넘치는 지혜와 능력을 주시는 분이세요.

보물 지도

우리 팀이 퀴즈왕!

[준비물] 성경

① 아이들에게 성경에서 에스라 4~6장을 찾으라고 한다.

② 아이들을 2팀으로 나누고, 각 팀에게 번갈아 가며 질문한다.

③ 답을 맞히면 1점을 주고, 틀리면 0.5점을 뺀다.

④ 가장 많은 점수를 얻은 팀이 이긴다.

1 하나님의 백성은 왜 성전 짓는 일을 그만두었나요?

적들이 공사를 멈추도록 방해했다 (스 4:23~24)

2 하나님의 백성은 언제 성전을 다시 짓기 시작했나요?

선지자 학개와 스가랴가 하나님의 이름으로 사람들을 격려한 후 (스 5:1~2)

3 다리오왕에게 성전 건축에 관해 편지를 쓴 사람은 누구인가요?

유다 땅을 다스리던 닷드내 총독과 아바삭 사람 (스 5:6)

4 다리오왕은 닷드내가 보낸 편지를 읽고 어떻게 했나요?

고레스왕이 성전을 지으라고 명령한 내용이 적힌 두루마리를 발견하고, 닷드내에게 성전을 완성하도록 도우라고 답했다 (스 6:1~8)

5 성전을 완성한 후 하나님의 백성은 무엇을 했나요?

하나님을 찬양하고, 제물을 드리고, 유월절을 기념했다 (스 6:13~22)

— **하나님은 하나님의 백성이 성전을 다시 짓도록 도우셨어요.** 이스라엘의 많은 원수는 하나님의 백성이 성전을 다시 짓지 못하도록 방해했지만, 하나님은 다리오왕을 사용해 계획을 이루셨어요. 하나님의 백성은 성전 공사를 모두 끝내고 하나님을 예배하며 기뻐했어요.

탐험하기

성전을 지을 수 있는 이유

[준비물] 학생용 교재 31쪽, 연필 또는 색연필

① 이스라엘 백성은 적들의 많은 방해 속에서도 성전을 완성할 수 있었다고 이야기해 준다.

② 그림 속에 숨어 있는 어절을 찾아 문장을 완성해 보라고 한다.

③ 성전을 완성하게 하신 분은 하나님이시라는 것을 상기시킨다. 그리고 우리의 교회를 주신 하나님께 감사하는 시간을 갖는다.

— **하나님은 하나님의 백성이 성전을 다시 짓도록 도우셨어요.** 성전을 다 지은 후 그들은 하나님을 예배했어요. 성전은 하나님을 만나는 장소에요. 지금 우리가 모여 있는 교회도 하나님을 만나는 장소이지요. 하지만 예수님을 통해 성전이 아니더라도 하나님을 직접 만날 수 있어요.

교회를 아름답게 *

[준비물] 청소 도구, 꾸미기 재료

① 아이들에게 청소 도구를 주고, 함께 교회 안팎을 깨끗이 청소한다.

② 간단한 꾸미기 재료를 준비해 아이들이 직접 예배실을 꾸미게 한다.

— 하나님은 우리가 주변을 돌보면서 하나님의 영광을 위해 살아가길 바라세요. 그 방법 중 하나는 우리가 예배드리는 장소를 깨끗하고 아름답게 만들어서 이곳을 찾는 사람들이 편안하고 환영받는 느낌이 들도록 하는 거예요. 그러면 더 많은 사람이 이곳에 모여 하나님에 관한 이야기를 들으며 하나님께 영광을 돌릴 수 있어요!

하나님을 찬양해요! *

[준비물] 플라스틱 통, 막대기, 빠르고 신나는 찬양 1곡

① 악기로 사용할 플라스틱 통과 막대기를 여러 개 준비해 둔다.

② 아이들에게 물건들을 나누어 주고, 지금부터 하나님의 백성이 성전을 완성한 후 하나님께 드렸던 예배를 직접 재연할 것이라고 말해 준다.

③ 어떤 예배를 드렸을지 상상해 보는 시간을 준다.

④ 빠르고 신나는 찬양에 맞추어, 다양한 악기 소리를 내며 함께 하나님을 찬양한다.

— 하나님은 하나님의 백성을 고향으로 돌아오게 하셨고, **하나님은 하나님의 백성이 성전을 다시 짓도록 도우셨어요.** 하나님은 선하시고 사랑이 많은 분이세요. 우리를 죄에서 구원하시기 위해 예수님을 이 땅에 보내셨어요. 하나님의 백성이 성전을 완성하고 기뻐했듯이, 우리도 언제든지 하나님의 선하심과 사랑을 기뻐하며 찬양할 수 있어요.

보물 상자

나만의 기록장

[준비물] 학생용 교재 32쪽, 연필이나 색연필

① 하나님이 나를 도우셔서 이루어진 놀라운 일이 있는지 물어본다.

② 그 일을 그림이나 글로 표현해 보라고 한다.

— 하나님은 하나님의 계획을 이루기 위해 2명의 왕을 사용하셨어요. 그들을 통해 하나님의 백성이 고향으로 돌아오게 하시고, 성전을 완성하게 하셔서 하나님의 이름은 더욱 거룩해졌어요. 하나님의 계획은 누구도 멈출 수 없어요. 세상에 복음을 전하려는 하나님의 계획도 중단되지 않을 거예요. 하나님은 하나님의 계획을 위해 우리를 사용하실 수 있어요! 그런 믿음을 갖고 하나님을 기쁘게 하는 어린이가 되길 바라요.

메시지 카드

이번 주 메시지 카드로 부모님과 함께 오늘 배운 성경 이야기를 나누어 보라고 한다.

기도

하나님, 약속을 이루신 신실하신 하나님을 찬양합니다. 하나님의 백성이 하나님께 순종하며 하나님을 예배했던 것처럼, 우리도 언제나 하나님께 순종하며 예배할 수 있도록 인도해 주세요. 그리고 하나님의 성전인 우리의 마음을 깨끗이 하며 하나님께 영광 돌리는 삶을 살 수 있도록 성령님 도와주세요. 예수님의 이름으로 기도합니다. 아멘.

2 단원
공급하시는 하나님

많은 유다 사람이 고향으로 돌아갔지만, 페르시아에 남은 사람들도 있었습니다. 하나님은 에스더를 통해 페르시아에 남은 하나님의 백성을 보호하셨습니다. 그리고 느헤미야는 백성을 이끌고 예루살렘의 성벽을 재건합니다. 하지만 고향에 돌아온 후에도 그들은 여전히 하나님께 온전히 순종하지 않았습니다. 하나님은 말라기를 통해 예배하기를 게을리하지 말라고 경고하시고, 메시아에 대해 말씀하신 후 400년 동안 침묵하셨습니다.

에스더를
왕비로
세우셨어요

에스더를 통해
하나님의 백성을
구하셨어요

느헤미야가
예루살렘의 소식을
들었어요

예루살렘 성벽을
다시 세웠어요

에스라가
하나님의 율법을
읽었어요

말라기가
하나님의 말씀을
전했어요

카운트다운 – 숲 속 달리기

카운트다운 영상(지도자용 팩)을 틀고 예배 준비 자세를 취하도록 격려한다. 예배가 시작되는 시간에 영상이 끝나도록 맞추어 놓는다. 영상이 끝나기 30초 전에 예배 인도자는 정해진 위치에 서서 조용히 기도하는 모범을 보인다.

무대 배경 – 운동장

실내 운동장의 탈의실처럼 꾸민다. 긴 의자를 놓고, 물병, 가벼운 역기, 수건, 줄넘기 등 다양한 물건들을 늘어놓는다. 화면에 '철인 3종 경기' 배경 이미지(지도자용 팩)를 띄운다.

6

에스더를 왕비로 세우셨어요

에 1~4장

단원 암송

여호와의 인자와 긍휼이 무궁하시므로
우리가 진멸되지 아니함이니이다
이것들이 아침마다 새로우니
주의 성실하심이 크시도소이다
(애 3:22~23).

성경의 초점

하나님은 약속을 지키시나요?
신실하신 하나님은 언제나 약속을
지키세요.

본문 속으로

고레스가 페르시아의 왕이었을 때 이스라엘 백성의 포로 생활은 끝이 났습니다. ('유다 출신'이라는 뜻으로 요즘은 유대인이라 부르는) 하나님의 백성 중 일부는 고향인 유다로 돌아가 성전과 성, 그리고 그들의 삶을 재건했습니다. 하지만 이교도들 사이에서 살아가는 것이 더 편해 페르시아에 남은 사람들도 있었습니다.

크세르크세스로도 알려진 아하수에로가 페르시아의 왕이 되었습니다. 왕비였던 와스디는 왕에게 반항해 쫓겨났고, 젊은 유다 여성 에스더가 아하수에로왕의 왕비가 되었습니다. 에스더는 자신이 유다 사람이라는 사실을 왕에게 알리지 않았습니다.

에스더는 고아였기 때문에 사촌인 모르드개의 손에서 자랐습니다. 모르드개는 왕궁에 사는 에스더와 계속 연락했습니다.

어느 날, 왕은 아각 사람 하만을 왕실의 중요한 자리에 앉혔습니다. 그러고는 사람들에게 하만에게 절하라고 명령하기까지 했습니다. 하지만 모르드개는 절하지 않았습니다.

하만은 사울왕을 몰락시킨 아말렉 왕 아각의 자손이었습니다. 이스라엘 민족과 아말렉 민족은 서로 사이가 나빴습니다. 하만은 모르드개의 반항에 화가 났습니다. 모르드개만 벌주는 것이 아니라 그 왕국에 사는 모든 유다 사람을 죽이려고 계획했습니다.

하만의 계획을 알게 된 모르드개는 에스더에게 도움을 요청했습니다. 에스더는 힘 있는 자리에 있었고, 유다 사람들은 그의 민족이었습니다. 하지만 왕에게 도움을 청하는 일은 굉장히 위험했습니다. 왕의 허락 없이 왕에게 다가갔다가는 죽을 수도 있기 때문입니다. 그럼에도 에스더는 자기 민족에게 닥친 어려움을 왕에게 설명하기 위해 위험을 무릅쓰고 왕에게 나가기로 했습니다.

티칭 포인트

하나님의 백성이 살아남은 것은 하나님의 계획 안에서 정말 중요한 사건이었음을 아이들에게 알려 주십시오. 하나님의 계획은 구세주를 아브라함의 자손으로 보내시는 것이었습니다. 하만이 악한 계획을 세워 하나님의 계획을 방해하려고 했지만, 하나님이 바로잡으셨습니다. 하나님은 에스더를 사용해 하나님의 백성을 구하고 아들이신 예수님을 이 땅에 보낼 길을 준비하겠다는 계획을 실천하셨습니다.

주 제

에스더는 자기 민족을 돕기로 했어요.

가스펠 링크

하나님은 어떠한 상황에서도 하나님의 백성을 구하고 아들이신 예수님을 이 땅에 보낼 길을 준비하겠다는 계획을 실천하셨어요.

에스더를 왕비로 세우셨어요 에 1~4장

페르시아의 왕 고레스는 하나님의 백성을 고향으로 돌려보내고 예루살렘 성전을 다시 짓게 했어요. 하나님의 백성은 유다 출신이었기 때문에 '유다 사람'으로 불렸어요. 어떤 유다 사람들은 유다로 돌아가 성전을 다시 지었지만, 많은 유다 사람이 페르시아에 그대로 남아 있었어요.

시간이 흘러, 아하수에로가 페르시아의 새로운 왕이 되었어요. 아하수에로는 자신의 말을 듣지 않는 왕비를 쫓아냈어요. 이제 왕에게는 새 왕비가 필요했고, 에스더를 왕비로 뽑았어요. 에스더는 매우 아름다웠어요. 에스더는 유다 사람이었고, 사촌인 모르드개가 에스더를 키웠지요. 하지만 에스더는 자신이 유다 사람이라는 사실을 왕에게 말하지 않았어요.

어느 날, 모르드개는 왕궁의 높은 관리인 하만이 유다 사람들을 모두 죽이려 한다는 소식을 듣게 되었어요. 모르드개는 안절부절못했어요! 그는 유다 사람이었고, 그가 사랑하는 민족이 모두 죽임을 당하는 것이 싫었어요. 모르드개와 유다 사람들은 슬피 울었어요.

무슨 일이 일어났는지 몰랐던 에스더는 모르드개에게 사람을 보내 유다 사람들이 왜 슬피 울며 괴로워하는지 물었어요. 모르드개는 하만의 악한 계획에 관해 이야기했어요. 그리고 왕에게 나가 유다 사람들을 구해 달라고 부탁해 보라고 전했어요.

에스더는 "왕이 먼저 부르지 않는 한 아무도 왕에게 나아갈 수 없습니다. 왕이 왕권을 상징하는 *홀을 내밀면서 '너는 살 수 있다'라고 하지 않으면 죽임을 당합니다"라고 모르드개에게 말을 전했어요.

모르드개는 에스더에게 한 번 더 이야기했어요. "네가 왕궁에 있다고 해서 혼자 살아남을 것이라고 생각하지 말아라. 네가 이때를 위해 왕비의 자리에 오르게 되었는지 누가 알겠느냐?"

에스더는 모르드개에게 유다 사람들을 모아 자신을 위해 금식해 달라고 요청했어요. 유다 사람들이 3일 동안 밤낮으로 먹지도 마시지도 않고 하나님께 도와 달라고 기도하고 나면, 왕에게 나아가겠다고 말했어요. 에스더는 유다 사람들을 살리기 위해 기꺼이 죽을 각오가 되어 있었어요.

●● 가스펠 링크

하나님의 계획은 구세주를 아브라함의 자손으로 보내시는 것이었어요. 하만이 악한 계획을 세워 하나님의 계획을 방해하려고 했지만, 하나님이 바로잡으셨어요. 하나님은 에스더를 사용해 하나님의 백성을 구하고 아들이신 예수님을 이 땅에 보낼 길을 준비하겠다는 계획을 실천하셨어요.

*홀 : 임금이나 높은 자리에 있는 사람이 권위를 나타내기 위해 손에 쥐던 긴 막대나 지팡이. '규'라고도 함.

가스펠 준비

10~20분

환영

도착하는 아이들을 반갑게 맞이하고 헌금, 출석, QT 등을 확인하며 격려한다. 새 친구가 있다면 소개한다. 편안한 분위기에서 안부를 물으며 오늘의 말씀과 관련된 화제로 이야기를 나눈다. 아이들에게 선생님이나 대통령이 된다면 무엇을 할 것인지 묻는다. 자발적으로 대화에 참여하도록 이끈다.

예) "만약 선생님이 된다면 무엇을 하고 싶나요?", "만약 대통령이 된다면 무엇을 하고 싶나요?" 등.

— 오늘 우리는 왕비가 된 한 사람에 대해 배울 거예요. 그 사람은 왕비로서 자기 민족을 위해 아주 위험한 일을 하기로 했어요. 그리고 하나님은 그 일을 훗날 예수님을 이 땅에 보내겠다는 놀라운 계획을 이루는 데에 사용하셨어요.

마음 열기

다가가도 되나요? *

① 인도자가 '왕' 역할을 맡고, 아이들을 예배실 벽면에 한 줄로 세운다.

② 아이들에게 한목소리로 왕을 향해 "다가가도 되나요?"라고 물으라고 한다.

③ 아이들이 물으면, 왕은 다가와도 된다거나 안 된다거나 또는 다른 일을 하라고 말할 수 있다.

예) "점프하면서 와", "3걸음만 걸어와", "소리 없이 다가와" 등.

④ 왕이 어떤 지시를 내리면 아이들은 그대로 따라야 한다고 일러 준다.

⑤ 왕 바로 앞까지 간 아이가 다음 왕이 된다고 알려 준다.

— 오늘 성경 이야기에서 우리는 뜻하지 않게 페르시아의 왕비가 된 에스더라는 사람에 대한 이야기를 들을 거예요. 하나님이 하나님의 백성을 구원하기 위해 어떻게 에스더를 사용하셨는지 함께 알아보기로 해요.

좋은 왕비, 나쁜 왕비 *

[준비물] 화이트보드(칠판), **보드마커**(분필)

① 아이들을 둥글게 앉히고, "어떻게 하면 좋은 왕이나 왕비가 되고, 어떻게 하면 나쁜 왕이나 왕비가 될까요?"라고 물어본다.

② 인도자는 아이들의 대답을 화이트보드에 적는다.

— 오늘 우리는 에스더라는 한 사람에 관해 배울 거예요. 아하수에로왕은 에스더를 페르시아의 왕비로 선택했어요. 에스더를 왕비로 뽑은 것은 왕이었지만, 하나님은 하나님의 백성을 보호하기 위해 왕의 선택까지도 사용하셨어요. 성경 이야기를 통해 더 자세히 배우기로 해요.

가스펠 설교 15~30분

들어가기

[준비물] 운동복, 물안경, 자전거 헬멧

운동복을 입고, 목에는 물안경을 두르고, 자전거 헬멧을 쓰고 들어온다. 스트레칭을 하고 제자리 뛰기를 한다.

여러분, 안녕하세요! 보시다시피 저는 특별한 경기를 앞두고 훈련할 준비를 모두 갖추었어요. 도대체 어떤 경기이기에 물안경과 헬멧이 필요한지 궁금할 거예요.

저는 '철인 3종 경기'에 참가할 거예요! 철인 3종 경기가 무엇인지 아나요? 아이들의 대답을 기다린다. 이것은 정말 특별한 경기예요. 철인 3종 경기는 3가지 종류의 운동 경기를 한 번에 치르는 거예요! 참가자들은 수영하고, 자전거를 타고, 달리기를 해서 먼 거리를 가야 해요. 이 경기를 완주하려면 많은 노력과 인내가 필요해요.

'인내'는 어려움을 참고 견디는 것을 말해요. 사실 이 철인 3종 경기는 한 성경 이야기를 생각나게 해요. 오늘 우리는 성경 이야기를 통해 에스더라는 한 사람을 만날 거예요. 에스더는 하나님이 주신 힘든 숙제 앞에서 인내해야 했어요.

연대표

지난주에 하나님은 하나님의 백성이 성전을 다시 짓도록 도우셨다는 이야기를 들었어요. 연대표를 보면 하나님의 백성 중 많은 사람이 예루살렘으로 돌아왔다는 사실을 알 수 있어요. 하지만 모든 백성이 고향으로 돌아온 것은 아니었어요. 연대표에서 오늘의 성경 이야기를 가리킨다. 페르시아에 남아 있던 유다 사람들에 관한 이야기를 들을 거예요. 오늘의 성경 이야기는 "에스더를 왕비로 세우셨어요"예요. 하나님은 에스더를 사용해 정말 중요한 일을 하셨어요. 에스더를 향한 하나님의 첫 번째 계획은 그를 페르시아의 왕비로 만드는 일이었어요!

다니엘을 구하셨어요

하나님의 백성을 고향으로 데려오셨어요

성전을 다시 지었어요

에스더를 왕비로 세우셨어요

에스더를 통해 하나님의 백성을 구하셨어요

느헤미야가 예루살렘의 소식을 들었어요

예루살렘 성벽을 다시 세웠어요

에스라가 하나님의 율법을 읽었어요

성경의 초점

성경 이야기를 듣기 전에 앞으로 몇 주 동안 함께 배울 2단원 '성경의 초점'의 질문은 **"하나님은 약속을 지키시나요?"**예요. 과연 이 질문의 답은 무엇인지 성경 이야기를 들으며 잘 생각해 보세요!

성경 이야기

DVD 에스더 1~4장을 펴고, 설교 영상(지도자용 팩)을 보여 주거나 이야기 성경을 들려준다.

정말 멋진 이야기예요. 하나님의 백성은 정말 무섭고 절망적인 상황에 처했어요. 하만은 모르드개와 모든 유다 사람을 미워했어요. '유다 사람'은 하나님의 백성을 가리키는 말이에요. 페르시아왕은 새로운 왕비로 에스더를 선택했어요. 왕은 에스더가 유다 사람인지 몰랐어요. 에스더를 선택한 것은 왕이지만, 사실 하나님이 하신 일이에요! 하나님은 하만이 유다 사람들을 죽이려 한다는 사실을 미리 아셨어요. 에스더의 사촌인 모르드개는 하나님이 에스더를 통해 하나님의 백성을 구하실 것이라고 생각했어요. 모르드개는 에스더에게 "네가 이때를 위해 왕비의 자리에 오르게 됐는지 누가 알겠느냐?(에 4:14 참조)"라고 말했어요.

에스더가 하나님의 백성을 돕기로 선택하는 일은 쉬운 일이 아니었어요. 왜냐하면 왕에게 다가가 도움을 구해야 하는데 페르시아왕은 자신이 부르지 않는 한 아무도 자신에게 나올 수 없다는 규칙을 세웠기 때문이에요. 왕이 부르지 않았는데 왕에게 갔다가는 죽임을 당할 수도 있었지요. 하지만 **에스더는** 왕에게 나갔다가 죽는다 하더라도 **자기 민족을 돕기로 했어요.**

그렇다면 '성경의 초점'의 답은 무엇일까요? **하나님은 약속을 지키시나요? 신실하신 하나님은 언제나 약속을 지키세요.** 하나님의 계획은 구세주를 아브라함의 자손으로 보내신다는 것이었어요. 하만의 악한 계획은 하나님의 계획을 중단시킬 수도 있었지만, 하나님은 모든 상황을 바꾸셨어요. 하나님은 에스더를 사용해 하나님의 백성을 구하고, 하나님의 아들인 예수님을 이 세상에 보낼 길을 만드셨어요.

때때로 힘들고 어려운 일을 겪을 때도 언제나 하나님이 우리와 함께하신다는 사실을 믿어야 해요. 하만의 음모로부터 백성을 보호하기 위해 일하셨듯이, 하나님은 우리를 죄에서 구원하기 위해 예수님을 보내 십자가에서 죽게 하시고 3일 만에 다시 살아나게 하셨어요.

복음 초청

성경과 45쪽 복음 초청 가이드를 이용해서 아이들에게 그리스도인이 되는 법을 설명해 준다. 따로 상담해 줄 사람을 정해 주고 궁금한 점이 있으면 물어보도록 격려한다.

이 시간 예수님을 마음에 모시고 싶은 친구는 함께 기도해요.

기도

하나님, 성경 이야기를 통해 하나님의 계획은 완전하다는 것을 배웠습니다. 하나님은 약속을 지키시고, 언제나 신실하십니다. 하나님의 신실하심을 기억하며, 날마다 하나님을 더욱 사랑하고 의지할 수 있도록 인도해 주세요. 우리를 향한 하나님의 계획을 믿으며, 용기 내어 살아가도록 도와주세요. 예수님의 이름으로 기도합니다. 아멘.

적용

TIP 설교 도입이나 적용으로 활용하거나 영상을 본 뒤 소그룹으로 나누어 풍성한 대화를 이어 갈 수 있습니다.

누군가의 생명을 살리면 어떤 기분이 들까요? 이 질문을 생각하며 다음 영상을 함께 보기로 해요.

DVD 적용 예화 영상(지도자용 팩)을 보여 준다.

조리대 위의 컵케이크는 어떻게 해야 할지 이야기를 나누어 본다.

아이들에게 도움이 필요한 누군가를 보거나 알고 있는지 물어본다.

사람들은 죄 때문에 하나님에게서 멀어졌어요. 죄 때문에 영원한 죽음을 맞게 되었지요. 예수님만이 사람들을 죄에서 구원하실 수 있어요. 예수님의 구원을 믿지 않는 사람은 모두 도움이 필요해요. 에스더가 하나님의 백성을 구하기 위해 행동했듯이, 하나님은 우리가 사람들에게 하나님의 구원 계획을 전하기를 바라세요.

가스펠 소그룹

10~20분

나침반

무슨 뜻일까?

"여호와의 인자와 긍휼이 무궁하시므로 우리가 진멸되지 아니함이니이다 이것들이 아침마다 새로우니 주의 성실하심이 크시도소이다"(애 3:22~23).

[준비물] 학생용 교재 36쪽, 연필

① <핵심 단어>를 따라 쓰며 단어의 뜻을 알아 본다.

② 빈칸을 채워 예레미야애가 3장 22~23절을 완성해 보라고 한다.

핵심 단어

- 긍휼: 불쌍히 여겨 돌보아 줌
- 무궁: 공간이나 시간이 끝이 없음
- 성실: 정성스럽고 참됨
- 인자: 남을 깊이 사랑하고 가엽게 여기는 마음
- 진멸: 무찔러 모조리 죽여 없앰

여호와의 [인][자]와

[긍][휼]이

[무][궁]하시므로

우리가 [진][멸]되지

아니함이니이다

이것들이 아침마다 새로우니

주의 [성][실]하심이

크시도소이다

예레미야애가 3장 22~23절

— 예레미야애가 3장 22~23절은 하나님은 선하시고, 하나님의 백성을 보호하신다는 사실을 우리에게 알려 주어요. 하나님은 예수님을 이 땅에 보내시고 십자가의 죽음과 부활로 우리를 죄에서 구원하셨어요. 이제 누구든지 예수님을 믿는 사람은 예수님과 영원히 함께 살 거예요.

보물 지도

말씀을 찾아라 *

[준비물] 성경, 사탕

① 아이들을 '에스더', '모르드개', '하만' 팀으로 나눈다.

② 아이들에게 성경에서 에스더 1~4장을 찾으라고 한다.

③ 인도자가 질문하면, 정답을 아는 사람은 팀 이름을 외치며 손을 들라고 한다.

④ 인도자가 지목한 아이는 일어나 답을 말하라고 한다.

⑤ 정답을 많이 맞힌 팀에게 사탕을 나누어 준다.

1 에스더가 새로운 왕비가 되기 전의 왕비는 누구였나요?

와스디 (에 1:10~11)

2 유다 사람들을 죽이려던 사람은 누구였나요?

하만 (에 3:5~6)

3 하만은 왜 유다 사람들을 죽이려고 했나요?

유다 사람인 모르드개가 자신에게 무릎 꿇어 절하지 않아 화가 났기 때문이다 (에 3:2~5)

4 왜 에스더는 왕에게 하만의 계획을 이야기하는 것이 두려웠나요?

왕이 부르지 않았는데 만나러 갔다가는 죽을 수도 있기 때문이다 (에 4:9~11)

5 하나님은 약속을 지키시나요?

신실하신 하나님은 언제나 약속을 지키세요.

— 에스더는 자기 민족을 구하려다 목숨을 잃을 수도 있다는 사실을 알았어요. 하지만 에스더는 바로 이때를 위해 하나님이 자신을 왕비로 세우셨다고 믿었어요. **에스더는 자기 민족을 돕기로 했어요.** 에스더 이야기를 통해 우리는 예수님을 떠올려 볼 수 있어요. 예수님은 우리를 죄에서 구원해 하나님의 자녀가 되게 하시려고 우리를 대신해 기꺼이 십자가에서 죽으시고 부활하셨어요. 누구든지 예수님을 믿으면 하나님과 함께 영원히 살게 되어요.

탐험하기

왕비가 된 에스더

[준비물] 학생용 교재 37쪽, 연필

① 아이들에게 그림에서 어울리지 않는 물건 5개를 찾아 ○표 하라고 한다.

② 주변에 있는 여자들의 표정이 왜 못마땅한 것 같은지 물어본다.

— 평범한 사람이 어느 날 갑자기 왕이나 왕비가 되는 일을 상상할 수 있나요? 그림 속에 있는 어울리지 않는 물건들

처럼 뭔가 어색하고 이상하게 느껴질 거예요!
아하수에로왕은 에스더를 왕비로 선택했어요. 왕이 직접 에스더를 선택했지만, 사실은 하나님이 하신 일이에요. 하나님은 에스더를 통해 하나님은 언제나 신실하게 약속을 지키는 분이심을 보여 주셨어요. 하나님의 계획은 어떠한 상황에서도 이루어진다는 사실을 기억하세요.

왕실 의상 릴레이*

[준비물] 가운 2벌, 의자 2개

① 가운을 왕이나 왕비 옷처럼 꾸며 둔다.

② 아이들을 2팀으로 나누고, 예배실 한쪽에 팀별로 줄을 세운다.

③ 반대쪽에 의자 2개를 놓고, 의자 위에 가운을 놓는다.

④ 인도자가 "출발!"이라고 외치면, 각 팀의 첫 번째 아이는 의자로 달려가 가운을 입고 돌아와서는 다음 주자에게 가운을 벗어 주라고 말한다.

⑤ 2번째 주자는 가운을 입고 달려가 의자 위에 벗어 두고 돌아오라고 알려 준다.

⑥ 마지막 주자까지 가운을 입고 벗기 릴레이를 계속한다. 릴레이를 먼저 끝낸 팀이 이긴다.

— 하나님은 언제나 하나님의 백성을 위한 선한 계획을 갖고 계세요. 하만의 악한 계획을 미리 아셨던 하나님은 에스더를 페르시아의 왕비가 되도록 하셨어요. 하나님은 우리 죄를 아시고, 우리를 죄에서 구원하시려는 계획을 예수님을 통해 이루셨어요. 죽음에서 부활하신 예수님은 모든 죄를 이기시고 우리가 하나님께 가까이 갈 수 있는 길을 만드셨어요. 예수님을 믿을 때, 우리는 하나님을 더욱 사랑하고 하나님이 원하시는 모습으로 살아가게 되어요.

보물 상자

나만의 기록장

[준비물] 학생용 교재 38쪽, 연필이나 색연필

① 아이들에게 하나님은 각 사람의 삶에 대한 완벽한 계획을 이루기 위해 항상 일하신다는 것을 알고 있는지 물어본다.

② 이 사실을 알게 되었을 때 어떤 기분이 드는지 그림이나 글로 표현해 보라고 한다.

— 하나님은 하나님의 백성을 위한 선한 계획을 이루려면 어떻게 해야 할지 잘 알고 계세요. 하나님은 전능하시고 우리를 사랑하세요. 하나님은 아브라함의 자손으로 예수님을 보내겠다고 약속하셨고, 그대로 이루셨어요. 하나님은 계획을 이루기 위해 다른 나쁜 계획들을 중단시키기도 하세요. 우리는 언제나 하나님의 약속을 믿을 수 있어요.

메시지 카드

이번 주 메시지 카드로 부모님과 함께 오늘 배운 성경 이야기를 나누어 보라고 한다.

기도

하나님, 하나님은 언제나 신실하시다는 것을 알게 해 주셔서 감사합니다. 절대 실패하지 않고 실수하지 않으시는 하나님을 믿고 의지할 수 있도록 인도해 주세요. 날마다 하나님을 찬양하고, 하나님이 하신 모든 일에 감사하는 우리가 되게 해 주세요. 예수님의 이름으로 기도합니다. 아멘.

7

에스더를 통해 하나님의 백성을 구하셨어요

에 5~10장

단원 암송

여호와의 인자와 긍휼이 무궁하시므로
우리가 진멸되지 아니함이니이다
이것들이 아침마다 새로우니
주의 성실하심이 크시도소이다
(애 3:22~23).

성경의 초점

하나님은 약속을 지키시나요?
신실하신 하나님은 언제나 약속을
지키세요.

본문 속으로

예수님이 태어나시기 450여 년 전, 에스더가 살던 시대의 유다 사람들은 페르시아 제국 안에 흩어져서 살고 있었습니다. 에스더서는 페르시아의 왕비가 된 젊은 유다 여성이 자기 민족을 구했다는 예사롭지 않은 이야기를 전합니다.

페르시아의 왕비가 된 에스더는 하만이라는 왕궁의 높은 관리가 유다 사람들을 모두 죽이려 한다는 소식을 들었습니다. 에스더서에는 성경 중 유일하게 하나님의 이름이 나오지 않지만, 하나님은 분명히 에스더와 에스더의 사촌 모르드개를 통해 일하시면서 유다 사람들을 구하셨습니다. 모르드개는 에스더에게 "네가 왕후의 자리를 얻은 것이 이때를 위함이 아닌지 누가 알겠느냐?(에 4:14)"라고 말하며 이 모든 상황에 하나님이 개입하고 계심을 말했습니다.

에스더는 선택할 수 있었습니다. 아무 일도 하지 않으면서 유다 사람들과 함께 멸망할 수도 있었고(에 4:13~14 참조), 목숨 걸고 왕에게 나아가 유다 사람들을 보호해 달라고 호소할 수도 있었습니다. 에스더가 왕에게 나아가기 전, 에스더와 유다 사람들은 사흘 동안 금식하면서 기도했습니다.

왕은 에스더를 반기며 에스더가 원한다면 왕국의 절반이라도 주겠다고 말했습니다. 에스더는 왕에게 자기 민족을 없애려는 하만의 음모에 관해 말했습니다. 결국, 왕은 유다 사람이 아닌 하만을 죽이라고 명령합니다.

티칭 포인트

성경 이야기의 긴장감을 살리면서 아이들을 가르치십시오. 하만이 유다 사람들을 모두 죽이면 하만의 악한 계획으로 인해 하나님의 약속을 이루는 데에 문제가 생긴다는 점을 말해 주십시오. 하나님은 아브라함을 통해 세상을 축복하고, 세상을 영원히 다스릴 왕을 다윗의 자손으로 보내겠다고 약속하셨습니다. 하만이 유다 사람들을 죽이겠다는 악한 계획을 세웠지만, 하나님이 상황을 바꾸셨음을 아이들에게 강조하십시오. 사탄은 하만처럼 하나님을 믿는 사람들을 망하게 하려고 합니다. 예수님이 십자가에서 돌아가셨을 때 사탄은 자신이 이겼다고 생각했습니다. 하지만 하나님은 예수님을 죽은 자 가운데서 살리심으로 사탄을 단번에, 완전하고 영원히 이기셨습니다.

주 제

하나님은 하나님의 백성을 구하기 위해 에스더를 사용하셨어요.

가스펠 링크

예수님이 십자가에서 죽으셨을 때 사탄은 자신이 이겼다고 생각했어요. 하지만 하나님은 예수님을 죽은 자 가운데서 살리심으로 사탄을 완전히 이기셨어요.

에스더를 통해 하나님의 백성을 구하셨어요 에 5~10장

페르시아에 있던 유다 사람들은 어려움에 빠졌어요. 하만이 유다 사람들을 모두 죽이겠다는 악한 계획을 세웠기 때문이에요! 에스더는 페르시아의 왕비이면서 유다 사람이었어요. 에스더는 유다 사람들을 도우려고 했어요.

에스더와 사촌인 모르드개, 유다 사람들은 3일 동안 먹지도 않고 하나님께 기도했어요. 3일째 되는 날, 에스더는 왕에게 나아갔어요. 왕은 왕좌에 앉아 있었지요. 왕은 에스더를 보자 금으로 된 왕의 홀을 내밀었고, 에스더는 왕에게 걸어갔어요.

왕은 "에스더 왕비여, 무슨 일이오?"라고 물었어요. 그러고는 "원하는 것이 있소? 당신이 원한다면, 내 왕국의 절반이라도 떼어 당신에게 주겠소"라고 말했어요. 에스더는 왕에게 "제가 오늘 왕을 위해 잔치를 준비했으니 하만과 함께 오셨으면 합니다"라고 대답했어요.

왕은 하만과 함께 에스더가 준비한 잔치에 갔어요. 왕은 먹고 마신 후 에스더에게 다시 물었어요. "에스더 왕비여, 당신의 소원이 무엇이오? 내 왕국의 절반이라도 주겠소." 에스더가 왕에게 대답했어요. "제 소원은 왕께서 내일도 하만과 함께 제가 준비한 잔치에 오시는 것입니다." 왕은 그렇게 하겠다고 약속했어요.

그날 밤 하만은 집으로 돌아가 모르드개를 매달 높은 나무를 세웠어요. 자기에게 절도 하지 않고 두려워하지도 않는 모르드개가 미웠기 때문이에요.

다음 날, 왕과 하만은 다시 에스더의 잔치에 갔어요. 음식을 먹고 앉아 있다가 왕은 또다시 에스더에게 물었어요. "에스더 왕비여, 당신의 소원이 무엇이오? 내 왕국의 절반이라도 주겠소."

에스더는 왕에게 대답했어요. "저의 민족을 살려 주십시오! 이것이 저의 소원입니다. 누군가 저와 저의 민족을 모두 죽이려 합니다."

왕은 에스더와 유다 민족을 죽이려는 자가 누구냐고 물었어요. 에스더는 "그 사람은 바로 악한 하만입니다!"라고 말했어요.

왕은 몹시 화가 났어요! 왕은 하만이 모르드개를 죽이려고 만든 나무에 하만을 매달라고 명령했어요. 하만은 죽임을 당했고, 그제야 왕의 분노가 가라앉았어요. 왕은 유다 사람들이 원수들로부터 자신을 안전하게 지킬 수 있도록 법을 만들었어요.

●● 가스펠 링크

하나님이 유다 사람들을 죽이려는 하만의 악한 계획을 깨뜨리셨어요. 사탄은 하만처럼 하나님을 믿는 사람들을 망하게 하려고 해요. 예수님이 십자가에서 돌아가셨을 때 사탄은 자신이 이겼다고 생각했어요. 하지만 하나님은 예수님을 죽은 자 가운데서 살리심으로 사탄을 완전히 이기셨어요.

가스펠 준비 10~20분

환영

도착하는 아이들을 반갑게 맞이하고 헌금, 출석, QT 등을 확인하며 격려한다. 새 친구가 있다면 소개한다. 편안한 분위기에서 안부를 물으며 오늘의 말씀과 관련된 화제로 이야기를 나눈다. 어려움을 겪는 사람을 도와준 경험이 있는지 물어본다. 자발적으로 대화에 참여하도록 이끈다.

예) "어려움이란 무엇인가요?", "어려운 상황에 있는 누군가를 도와준 적이 있나요?" 등.

— 오늘 우리는 하나님이 에스더를 사용해 큰 어려움에 빠진 하나님의 백성을 어떻게 도우셨는지 배울 거예요. 하나님의 계획은 하나님의 백성을 구하는 것이었고, 에스더는 그 계획에서 특별한 역할을 했어요.

마음 열기

선택을 받아라 *

① 아이들을 둥글게 앉히고, '007빵'을 응용한 놀이를 진행한다.

② 처음 시작하는 아이를 정하고 '왕'이라고 이름을 붙인다.

③ '왕'인 아이에게 "하나, 둘, 셋, 홀!"이라고 외치며, "홀"을 말할 때 다른 아이를 지목하라고 한다.

④ '홀'에 지목된 아이는 두 팔을 올리며 "살았다!"를 외치고, 양옆의 아이들은 "악!"이라고 외치며 쓰러져야 한다고 말해 준다.

⑤ '홀'에 걸린 아이가 '왕'이 되어 ③번부터 다시 시작해 놀이를 반복한다.

— 왕이 부르기 전에 왕에게 나아간다면 에스더는 죽을 수도 있었어요! 하지만 왕이 홀을 내밀면 죽지 않고 왕 앞에 갈 수 있었어요. 에스더는 어떻게 되었을까요? 오늘 성경 이야기를 통해 알게 될 거예요!

완벽한 시간 선택 *

[준비물] 스톱워치

① 아이들에게 속으로 20초를 세다가, 20초가 되었다고 생각할 때 손을 들라고 말한다.

② 인도자는 시계로 시간을 재다가, 20초가 되면 "그만!"이라고 말한다.

③ 20초에 가장 가깝게 손을 든 아이가 이긴다.

— 시간을 완벽하게 맞추기가 쉬웠나요? 어려웠나요? 우리가 생각하는 시간은 맞지 않을 수도 있어요. 그러나 하나님은 언제나 완벽하게 시간을 맞추세요. 하나님은 하나님의 백성을 구하기 위해 딱 맞는 때에 에스더를 필요한 장소에 두셨어요. 에스더가 하나님의 계획을 위해 어떻게 사용되었는지 성경 이야기를 통해 더 알게 될 거예요.

가스펠 설교

15~30분

들어가기

[준비물] 운동복, 물안경, 자전거 헬멧

운동복을 입고, 목에는 물안경을 두르고, 머리에는 자전거 헬멧을 쓰고 들어온다. 스트레칭을 하고 제자리 뛰기를 한다.

여러분, 안녕하세요! 다시 만나서 반가워요. 저는 특별한 경기를 위해 훈련하고 있어요. 무슨 경기였는지 기억하는 사람 있나요? 아이들의 대답을 기다린다. 맞아요! 철인 3종 경기예요. 수영, 자전거 타기, 달리기 세 종목을 차례로 치르는 경기지요. 철인 3종 경기는 정말 힘든 경기에요. 그야말로 자신과의 싸움이에요. 잘 준비하고 훈련하지 않으면 때때로 위험한 상황에 빠지기도 해요. 하지만 힘든 훈련을 거쳐 경기에서 결승선을 통과하면, 그때 느끼는 성취감은 어마어마해요.

여러분도 그 기분 잘 알 거예요. 몹시 어려운 어떤 일을 해내기 위해 열심히 노력한 후에 드디어 목표를 이루었을 때 느끼는 엄청난 기분 말이에요! 얘기하다 보니 에스더의 이야기가 떠올라요.

연대표

다니엘을 구하셨어요

하나님의 백성을 고향으로 데려오셨어요

성전을 다시 지었어요

에스더를 왕비로 세우셨어요

지난주에는 성경 이야기를 통해 **에스더는 자기 민족을 돕기로 했다**는 것을 배웠어요. 에스더를 왕비로 선택한 것은 왕이었지만, 실제로 에스더가 왕비가 된 것은 모두 하나님의 계획이었어요. 하나님은 악한 하만이 하나님의 백성을 모두 죽이려 한다는 것을 미리 아시고, 하만의 계획을 막기 위해 에스더를 왕비로 세우셨어요.

에스더를 통해 하나님의 백성을 구하셨어요

느헤미야가 예루살렘의 소식을 들었어요

예루살렘 성벽을 다시 세웠어요

에스라가 하나님의 율법을 읽었어요

연대표에서 오늘의 성경 이야기를 가리킨다. 오늘 우리가 들을 성경 이야기는 "에스더를 통해 하나님의 백성을 구하셨어요"예요. 하나님이 하나님의 계획을 위해 에스더를 어떻게 사용하셨는지 함께 보기로 해요.

성경의 초점

'성경의 초점'의 질문과 답을 말해 볼까요? **하나님은 약속을 지키시나요? 신실하신 하나님은 언제나 약속을 지키세요.** '성경의 초점'의 질문과 답을 잘 생각하면서 오늘의 성경 이야기를 들어 보세요.

성경 이야기

DVD 에스더 5~10장을 펴고, 설교 영상(지도자용 팩)을 보여 주거나 이야기 성경을 들려준다.

에스더가 자기 민족을 대신해 왕에게 나가기 위해서는 용기가 필요했어요. 에스더는 죽을 수도 있었어요. 하지만 **하나님은 하나님의 백성을 구하기 위해 에스더를 사용하셨어요.** 하나님이 하나님의 계획을 이루기 위해 평범한 사람들을 사용하신다는 사실이 정말 놀라워요. 에스더는 자신이 왕비가 될 줄 몰랐을 거예요. 그러나 하나님이 하나님의 목적을 위해 사용하시도록 기꺼이 자신을 드렸어요. 그리고 하나님은 에스더를 사용하셨어요!

하나님은 하나님의 계획을 이루기 위해 우리도 사용하실 수 있어요. 하나님은 평범한 우리를 사용해 놀라운 일을 하세요. 하나님은 전능하시기 때문에 우리의 능력이 부족해도 괜찮아요.

에스더서에는 하나님의 이름이 한 번도 나오지 않아요. 그런데도 하나님은 분명 그 모든 일의 중심에 계세요. 하만은 자신의 힘을 이용해 유다 사람들을 모두 없애버리려고 계획했어요. 처음에는 모든 일이 하만의 계획대로 이루어지는 것처럼 보였어요. 하지만 하나님은 하만의 악한 계획을 멈추셨어요. 하나님은 에스더를 왕비로 세워 왕에게 영향력을 끼치도록 완벽하게 계획하셨어요.

하나님은 아들이신 예수님을 통해 우리를 구원하려는 계획도 완벽하게 세우셨어요. 하만이 유다 사람들을 없애고 싶었듯이, 사탄은 하나님을 믿는 사람들을 멸망시키고 싶어 해요. 예수님이 십자가에서 죽으셨을 때 사탄은 자신이 이겼다고 생각했어요. 하지만 하나님은 우리의 죗값을 한 번에 치르기 위해 예수님을 십자가에서 죽게 하셨어요. 그리고 예수님을 죽은 자들 가운데서 살리셔서 사탄이 하나님의 능력을 막을 수 없다는 사실을 보여 주셨어요. 예수님을 믿을 때 하나님은 우리를 용서하시고, 하나님을 위해 살 수 있도록 능력을 주세요.

복음 초청

성경과 45쪽 복음 초청 가이드를 이용해서 아이들에게 그리스도인이 되는 법을 설명해 준다. 따로 상담해 줄 사람을 정해 주고 궁금한 점이 있으면 물어보도록 격려한다.

이 시간 예수님을 마음에 모시고 싶은 친구는 함께 기도해요.

기도

하나님, 에스더를 통해 하나님의 신실하심을 배웠습니다. 우리에게 예수님을 보내 주셔서 죄에서 구원해 주셔서 감사합니다. 하나님은 평범한 사람들을 통해 하나님의 뜻을 이루시는 분이십니다. 하나님의 백성을 구하기 위해 에스더를 사용하신 것처럼, 이 세상에 하나님의 뜻을 이루기 위해 우리를 사용해 주세요. 예수님의 이름으로 기도합니다. 아멘.

적용

TIP 설교 도입이나 적용으로 활용하거나 영상을 본 뒤 소그룹으로 나누어 풍성한 대화를 이어 갈 수 있습니다.

지난주에 위험에 빠진 컵케이크에 관한 영상을 보았어요. 그때 무슨 일이 일어났다고 생각하나요?

DVD 적용 예화 영상(지도자용 팩)을 보여 준다.

누군가를 돕기 위해 위험을 감수했던 상황이 있었는지 물어본다. 예수님을 모르는 누군가를 돕기 위해 기꺼이 위험을 무릅쓸 수 있는지 물어본다.

하나님은 만물을 다스리시고, 언제나 신실하세요. 하나님은 예수님을 믿는 사람에게 영원한 생명을 주겠다고 약속하셨어요. 우리는 하나님과 영원히 함께 살 것이기 때문에 다른 사람에게 예수님을 전하기 위해 어떤 위험이든 무릅쓸 수 있어요. 하나님과 영원히 함께하는 일보다 더 좋은 일은 없어요. 다른 모든 것을 잃는다 해도 그것만은 뺏길 수 없어요!

가스펠 소그룹

10~20분

나침반

손으로 외워 보아요

[준비물] 2단원 암송(109쪽)**, 색인 카드, 펜**

① 2단원 암송을 4부분으로 나누고, 색인 카드에 각각 적어 둔다.

② 아이들을 4팀으로 나누고, 암송이 적힌 색인 카드를 나누어 준다.

③ 각 팀이 맡은 부분을 외우는 데 도움이 될 만한 손동작을 만들어 보라고 한다.

④ 시간이 지난 후, 각 팀이 만든 손동작을 서로에게 가르쳐 주게 한다.

⑤ 손동작을 함께 하면서 성경 구절을 암송하게 한다.

── 예레미야애가 3장 22~23절은 하나님의 자비에 관해 이야기해요. '자비'는 무엇일까요? 아이들의 대답을 기다린다. 자비는 남을 깊이 사랑하고 가엾게 여기는 마음이에요. 우리는 모두 죄 때문에 죽어야 하지만, 하나님은 예수님의 십자가 죽음과 부활을 통해 우리를 구원하시며 자비를 보여 주셨어요. 성경 구절이 말하듯 하나님의 자비는 아침마다 새로워요. 매일 아침 새로운 날이 시작되듯이, 하나님은 우리에게 날마다 새로운 자비를 베푸세요!

보물 지도

가스펠 프로젝트

[준비물] 학생용 교재 42쪽, 77쪽 '가스펠 프로젝트 마크', 주사위(팀마다 2개씩)

① 아이들에게 빈칸에 '가스펠 프로젝트'(하나님의 구원 계획)의 제목들을 적으라고 한다.

② 77쪽의 가스펠 프로젝트 마크를 오려 말로 사용하라고 한다.

③ 2명씩 짝을 짓고, 가위바위보를 해서 순서를 정하게 한다.

④ 주사위 2개를 던지고, 큰 수에서 작은 수를 뺀만큼 움직이라고 한다.

예) 5와 3이 나오면 2칸을 이동한다(5-3=2).

⑤ '다시 오실 그리스도'에 먼저 도착하는 아이가 승리한다.

── **하나님은 약속을 지키시나요? 신실하신 하나님은 언제나 약속을 지키세요.** 바벨론의 포로가 되어 잡혀가고, 하만의 계획으로 사라질 위기에 놓인 유다 백성을 하나님이 보호하셨어요. 하나님은 하나님의 때에 필요한 사람을 사용하셔서 이스라엘 백성을 구원하셨어요. 어려운 상황에도 하나님은 신실하게 하나님의 계획을 이루어 가세요.

왕의 지팡이를 잡고 말해요 *

[준비물] 성경, 플라스틱 막대기, 작은 고무공, 접착테이프

① 긴 플라스틱 막대기 끝에 공을 붙여, 왕의 지팡이를 만든다.

② 인도자가 성경 이야기와 관련한 질문을 한다.

③ 답을 아는 아이는 손을 들라고 하고, 인도자는 왕의 지팡이로 발표할 아이를 지목한다.

④ 인도자가 지목한 아이는 일어나서 답을 말하라고 한다.

⑤ 답을 맞힌 아이는 다음 문제 출제자가 되어 문제를 내게 한다.

1 에스더는 며칠 동안 금식한 후 왕에게 나갔나요?

3일 (에 4:15~16, 5:1)

2 왕은 에스더에게 왕권을 상징하는 홀을 내밀었나요?

네 (에 5:2)

3 에스더는 왕과 하만을 위해서 무엇을 준비했나요?

잔치 (에 5:7~8)

4 하만은 에스더가 준비한 첫 번째 잔치에 다녀온 후 누구를 나무에 매달려고 했나요?

모르드개 (에 5:14)

5 왕은 누구를 높이고 싶었나요?

모르드개 (에 6:2~3)

6 하만은 왕이 누구를 높이려고 한다고 생각했나요?

하만 또는 자신 (에 7:3~6)

7 에스더는 몇 번째 잔치에서 자신까지 해치려는 하만의 음모를 왕에게 말했나요?

두 번째 잔치(에 7:2~10)

8 왕은 하만이 모르드개를 매달기 위해 만든 나무에 누구를 매달라고 명령했나요?

하만 (에 8:7)

9 왕은 유다 사람들을 어떻게 보호했나요?

왕은 유다 사람들이 원수들로부터 자신을 안전하게 지킬 수 있는 법을 만들었다 (에 8:11)

10 **하나님은 약속을 지키시나요?**

신실하신 하나님은 언제나 약속을 지키세요.

── 에스더는 죽을 각오를 하고 왕에게 나갔어요. **하나님은 하나님의 백성을 구하기 위해 에스더를 사용하셨어요.** 비

슷한 방식으로 예수님은 우리 죗값을 치르기 위해 십자가에서 죽으셨고, 하나님은 예수님을 죽은 자 가운데서 살리셨어요. 우리는 예수님을 통해 죄에서 구원받을 수 있어요.

탐험하기

왕에게 나아가는 길

[준비물] 학생용 교재 43쪽, 연필

① 에스더가 왕에게 다가갈 수 있도록 미로를 통과해 보라고 한다.

② 에스더가 왕에게 나아가 무슨 말을 했을지 말풍선에 적어 보라고 한다.

③ 미로를 통과하며 찾은 단어를 조합해 문장을 완성하게 한다.

하나님은 약속을 지키시나요?
신 실 하신 하 나 님 은
언제나 약 속 을 지키세요.

— 하만은 유다 사람들을 모두 죽이려는 악한 계획을 세웠어요. 페르시아의 왕비인 에스더는 유다 사람이었어요. 왕이 부르지 않았는데 왕에게 나가면 목숨을 잃을 수도 있었지만, 에스더는 자기 백성을 돕기로 했어요. **하나님은 하나님의 백성을 구하기 위해 에스더를 사용하셨어요.** 사탄은 하만처럼 하나님을 믿는 사람들을 멸망시키려고 해요. 예수님이 십자가에서 죽으실 때 사탄은 자신이 이겼다고 생각했지만, 하나님은 죽은 자 가운데서 예수님을 살리심으로 사탄을 완전히 이기셨어요.

성경 이야기 벽화 *

[준비물] 도화지, 사인펜, 색연필이나 크레파스, 접착테이프

① 아이들과 성경 이야기 내용을 짧게 복습한다.

② 아이들을 3~4팀으로 나누고, 각 팀에 도화지와 색연필을 나누어 준다.

③ 각 팀에 성경 이야기의 주요 장면들을 정해 주고, 주제에 맞게 그림을 그려 보라고 한다.

<주요 장면>

· 에스더가 왕비가 되었어요.

· 에스더가 왕에게 나갔어요.

· 왕이 에스더에게 무엇을 원하는지 물었어요.

· 하만이 모르드개를 매달 나무를 만들었어요.

④ 그림이 완성되면 예배실 벽에 이야기 순서대로 붙인다.

⑤ 그림을 보며 어떤 장면인지 함께 이야기를 나눈다.

— **하나님은 하나님의 백성을 구하기 위해 에스더를 사용하셨어요.** 우리는 성경 이야기를 통해 하나님이 얼마나 선하고 신뢰할 수 있는 분인지 배웠어요. 하나님은 지금도 이 세상의 모든 사람이 예수님에 대한 이야기를 듣게 하려는 계획을 갖고 계세요. 에스더가 하나님께 순종한 것처럼, 우리도 하나님께 순종함으로 하나님의 계획에 참여할 수 있어요. 우리는 어떻게 하나님께 순종할 수 있을까요? 언제 어디서든 사람들에게 예수님을 말할 수 있어요!

왕의 홀 *

[준비물] 키친타월 심, 볼풀 공, 노란색 도화지, 접착테이프, 반짝이 풀, 스티커

① 아이들에게 키친타월 심과 도화지, 꾸미기 재료를 나누어 준다.

② 키친타월 심을 노란색 도화지로 감싸 테이프로 붙이라고 한다.

③ 반짝이 풀과 스티커를 활용해 왕의 홀을 꾸며 보라고 한다.

④ 볼풀 공을 키친타월 심 위에 붙여 완성하게 한다.

— 에스더는 왕이 먼저 부르기 전에 왕에게 나갔어요. 왕은 허락 없이 자기 앞에 나온 에스더를 죽일 수도 있었어요. 하지만 에스더를 반긴다는 의미로 왕권을 상징하는 왕의 홀

을 내밀었어요. 예수님은 우리 대신 죗값을 치르기 위해 십자가에서 죽으셨어요. 이제 우리는 예수님을 통해 두려움 없이 하나님의 보좌 앞에 나갈 수 있어요(히 4:16 참조). 예수님을 믿을 때 하나님은 우리의 죄를 용서하시고 하나님께 가까이 이끌어 주세요!

보물 상자

나만의 기록장

[준비물] 학생용 교재 44쪽, 연필이나 색연필

① 에스더처럼 하나님의 일에 귀하게 사용되었던 성경 속 인물 이야기를 글이나 그림으로 표현해 보게 한다.

② 하나님이 꼭 필요한 때에 우리를 사용하실 수 있도록 함께 기도한다.

— 하나님은 아주 오래전부터 한 가지 계획을 갖고 계셨어요. 바로 하나님의 백성을 구원하는 것이에요. 하나님을 믿으며 하나님께 순종할 때, 우리는 하나님의 계획에 참여하게 되어요. 에스더는 자신에게 무슨 일이 벌어지고 있는지 몰랐지만, 하나님이 자신을 통해 하나님의 백성을 보호하기 원하신다는 사실을 믿었어요. 우리도 하나님을 믿고 예수님을 따를 때 우리에게 무슨 일이 일어날지 모를 수 있어요. 하지만 한 가지, 우리가 복음을 전하면서 하나님께 영광 돌리기를 하나님이 원하신다는 사실은 알 수 있어요.

메시지 카드

이번 주 메시지 카드로 부모님과 함께 오늘 배운 성경 이야기를 나누어 보라고 한다.

기도

하나님, 에스더를 통해 유다 민족을 구원하신 신실한 하나님을 찬양합니다. 우리의 모든 상황을 아시고 선하게 이끌어 주시는 하나님께 감사드립니다. 날마다 하나님과 가까워지며, 하나님의 이름을 영광스럽게 하고, 하나님께 쓰임 받는 사람이 되게 해 주세요. 예수님의 이름으로 기도합니다. 아멘.

칼럼

가르치지 않을 때에도 가르치고 있다?

사역을 준비할 때 우리는 교육과정을 확인하거나, 동역자들을 위해 기도하거나, 성경을 연구하거나, 준비물을 챙기는 일들을 합니다. 그런데 한 가지 더 생각해 보아야 할 것이 있습니다.

말을 하지 않는 순간에도 무언가가 여러분과 아이들의 관계에 영향을 미칠 수 있다는 것입니다. 하나님은 관계를 통해 일하시기 때문에 우리는 아이들과 멀어지지 않도록 관계를 구축해야 합니다.

잠재적인 역량을 조화롭게 발휘하여 사명을 잘 감당할 수 있도록 도와주는 5가지 요소를 소개합니다.

1. 우리는 환경을 통해 가르칩니다.

혹시 어수선한 방, 얼룩진 커튼, 지저분한 벽이 있는 환경에서 아이들을 가르치고 있는지 주변을 둘러보십시오. 우리는 환경이 아이들을 가르치는 데 중요하다는 사실을 간과하기 쉽습니다. 여러분이 가르치는 장소가 아이들을 환영하는 분위기인지 살펴보십시오. 예배실을 깔끔하게 정돈해서 아이들에게 마음을 쓰고 있다는 사실을 보여 주십시오. 여러분의 교실을 정직하게 돌아보면서 교육하기 좋은 환경인지, 아이들 나이에 어울리는지, 들어오는 사람을 환영하는 분위기인지 점검해 보시기 바랍니다. 청결한 공간은 문을 열고 들어오는 아이들에게 많은 것을 보여 줍니다.

2. 우리는 얼굴 표정을 통해 가르칩니다.

눈이 '영혼의 창'으로 불리는 이유가 있습니다. 여러분의 눈은 사랑을 말하고 있습니까? 아니면 거리감이나 못마땅해하는 느낌을 말하고 있습니까? 여러분이 아이들을 얼마나 많이 생각하는지, 아이들과 함께 보내는 시간을 얼마나 소중하게 생각하는지를 눈으로 전할 수 있습니다. 탁자 너머로 윙크를 하면서 안정감을 찾지 못하는 아이를 안심시켜 보십시오. 미소를 지으면서 눈빛을 통해 여러분의 말이 빛나게 해 보십시오. 눈은 신뢰감을 주는 훌륭한 수단입니다.

3. 우리는 몸짓을 통해 가르칩니다.

우리는 몸짓으로 주변 사람들에게 긍정적이거나 부정적인 감정을 전달할 수 있습니다. 여러분이 팔짱을 낀 채 서있을 때 아이들은 어떤 메시지를 전달받을까요? 다른 선생님이 성경 이야기를 하는 동안 여러분이 의자에 앉아 졸고 있다면 성경이 살아 숨 쉬는 하나님의 말씀이라는 사실을 아이들이 이해할 수 있을까요? 아이들과 함께 보내는 시간이 얼마나 신나며, 성경을 배우는 것이 얼마나 중요한지 여러분의 몸짓을 활용해 전달해 보십시오.

4. 우리는 옷차림을 통해 가르칩니다.

여러분은 알록달록한 옷을 입나요, 아니면 언제나 무채색 옷을 입나요? 겉모습은 여러분이 무엇을 중요하게 생각하는지를 보여 준다는 사실을 기억하시기 바랍니다. 부스스한 모습이 아니라 단정한 차림이 좋습니다.

5. 우리는 목소리 크기와 억양을 통해 가르칩니다.

여러분의 목소리는 아이들이 이야기에 집중하게 하거나, 문 앞에서 따뜻하게 환영하는 분위기를 자아낼 수 있습니다. 아이들을 가르칠 때 분명하고 명확하게 이야기하십시오. 중얼거리거나 경쟁이라도 하듯 빠른 속도로 말해서는 아무도 이해할 수 없습니다! 지시를 할 때는 한 단계씩 차근차근 이야기하는 것이 좋습니다. 반 아이들에게 그들을 제일 중요하게 생각한다는 사실을 보여 주십시오. 그들을 대화에 참여시키기 바랍니다. 하나님은 여러분의 노력을 사용해 빛나는 배움의 시간을 주실 것입니다. 가르칠 때 여러분의 목소리를 도구로 사용하십시오. 목소리는 훌륭한 도구입니다!

아이들과 함께 보내는 시간이 얼마나 신나며, 성경을 배우는 것이 얼마나 중요한지 여러분의 몸짓을 총 동원하여 표현해 보십시오.

'LifeWay's Kids Ministry 101' 블로그에 실린 글을 개작

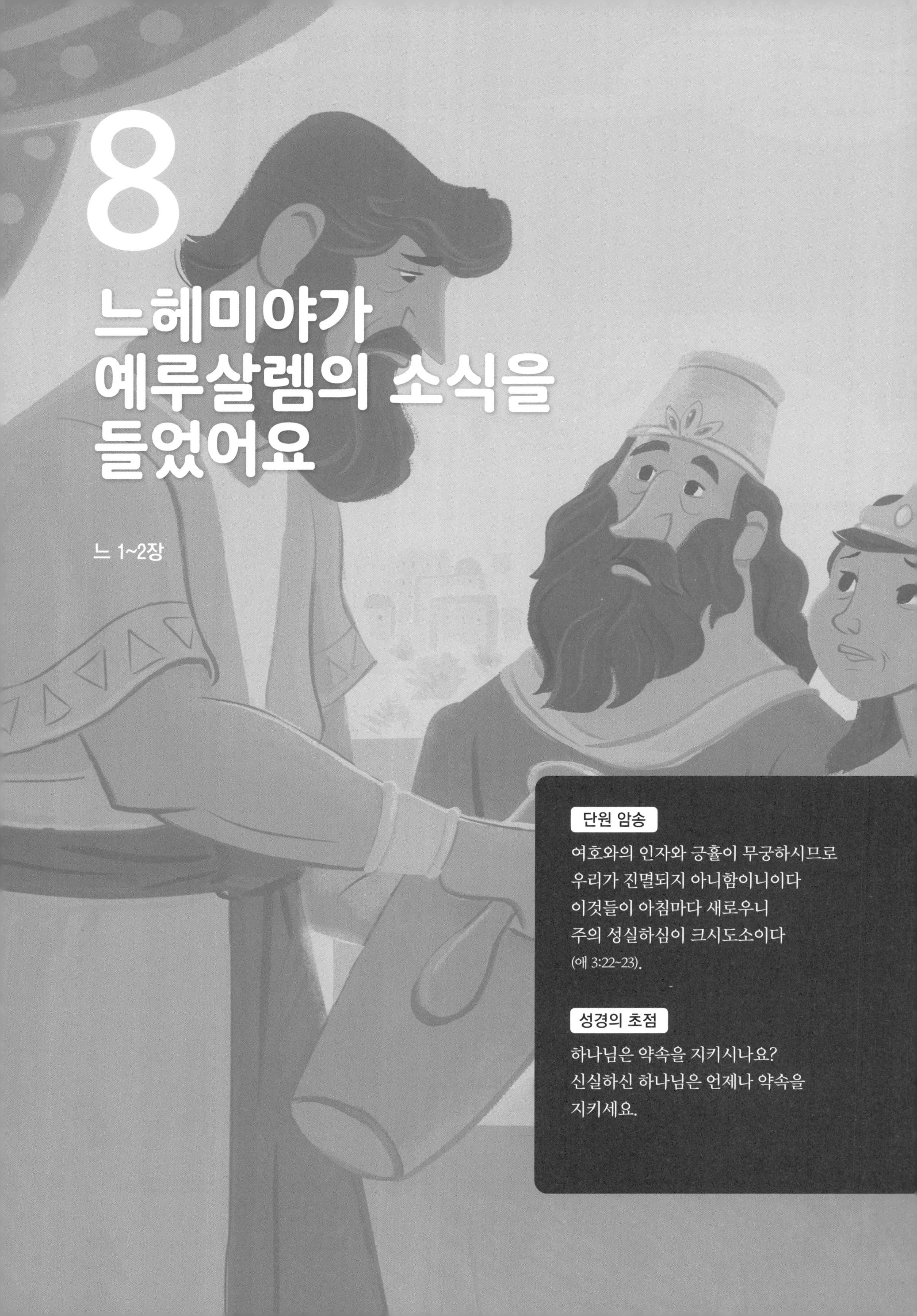

8

느헤미야가 예루살렘의 소식을 들었어요

느 1~2장

단원 암송

여호와의 인자와 긍휼이 무궁하시므로
우리가 진멸되지 아니함이니이다
이것들이 아침마다 새로우니
주의 성실하심이 크시도소이다
(애 3:22~23).

성경의 초점

하나님은 약속을 지키시나요?
신실하신 하나님은 언제나 약속을
지키세요.

본문 속으로

느헤미야는 페르시아에 사는 유다 사람이었습니다. 그는 왕의 술을 따르는 관원으로, 페르시아 왕의 신임을 받는 자리에 있었습니다. 술 따르는 관원은 누군가 왕의 술에 독을 넣지 않았는지 확인하는 일을 했습니다. 왕의 안전을 위해 술을 직접 맛볼 때도 있었습니다.

페르시아 제국이 바벨론을 정복했을 때, 고레스왕은 하나님의 백성에게 유다로 돌아가라고 명령했습니다. 처음에는 포로로 끌려왔던 300만 명에 달하는 유다 사람들 중 5만 명만이 고향으로 돌아갔습니다. 그들은 예루살렘에서 집을 짓고 하나님의 성전을 다시 세웠습니다. 느헤미야의 이야기는 에스라가 두 번째 무리를 이끌고 유다로 돌아간 후에 시작됩니다.

느헤미야는 유다로 돌아간 사람들의 소식을 들었습니다. 하나님의 백성은 어려움을 겪으면서 수치스럽게 살고 있었습니다. 예루살렘 성벽은 무너졌고 성문은 불탔습니다. 무방비로 적에게 노출된 채 두려움에 떨면서 살고 있었습니다. 이 소식을 들은 느헤미야는 주저앉아 슬피 울었습니다.

느헤미야는 며칠 동안 금식하면서 기도했습니다. 하나님의 백성을 향한 하나님의 약속을 기억했습니다. 비록 불순종으로 인해 그들의 땅에서 쫓겨났지만, 하나님께 돌아가 순종하면 축복을 받을 수 있었습니다. 하나님은 하나님 백성의 재산을 회복시키고 집을 주겠다고 약속하셨습니다(신 30:1~10 참조).

아닥사스다왕은 느헤미야의 슬픔을 알아챘습니다. 느헤미야는 겁이 났습니다. 왕 앞에서 슬퍼하는 모습을 보이는 것은 위대한 왕을 모욕하는 일이었기 때문입니다. 느헤미야는 곤경에 처한 예루살렘의 상황을 왕에게 설명했습니다. 왕은 느헤미야에게 예루살렘에 다녀올 것을 허락하면서 안전하게 길을 통과할 수 있도록 편지를 써 주었습니다. 성을 재건하는 데 필요한 나무들도 가져갈 수 있도록 허락했습니다. 느헤미야는 예루살렘에 도착했습니다. 그는 하나님의 백성에게 성벽을 다시 세우자고 격려했습니다. 그리고 주변의 반대에도 꿋꿋이 맞섰습니다.

주 제

느헤미야는 하나님의 백성이 예루살렘 성벽을 다시 세울 수 있도록 도와 달라고 하나님께 기도했어요.

가스펠 링크

예수님은 하나님께 온전히 순종하셔서 십자가에서 죽으시고 다시 살아나심으로 우리가 하나님과 영원히 함께 살 수 있게 하셨어요.

티칭 포인트

이 성경 이야기는 느헤미야가 예루살렘 성벽을 재건하기 시작하는 모습을 보여 줍니다. 아이들을 가르칠 때, 느헤미야는 하나님의 백성에게 집을 주겠다고 하신 하나님의 약속을 믿었다는 사실을 알려 주십시오. 우리도 회개하고 예수님을 믿으면 예수님과 함께 하나님의 집에서 영원히 거할 곳을 마련하겠다는 예수님의 약속을 확신하게 됩니다(요 14:3 참조).

이야기 성경

느헤미야가 예루살렘의 소식을 들었어요 느 1~2장

유다 사람인 느헤미야는 하나님의 백성이었어요. 페르시아 제국이 바벨론을 정복했을 때, 고레스왕은 바벨론에 살고 있던 하나님의 백성에게 유다로 돌아가라고 명령했어요. 많은 백성이 고향으로 돌아갔지만, 일부는 페르시아에 남았어요. 느헤미야도 페르시아에 남아 왕을 위해 일했어요.

어느 날, 유다에서 온 몇몇 사람이 느헤미야를 찾아 왔어요. 느헤미야는 고향으로 돌아간 유다 사람들의 소식을 물었어요. 그들이 말했어요. "그곳에 있는 사람들이 큰 어려움을 겪고 있습니다. 예루살렘을 둘러싼 성벽은 무너졌고, 성문은 모두 불에 탔습니다."

이 말을 들은 느헤미야는 주저앉아 울었어요. 너무 슬퍼서 며칠 동안 아무것도 먹지 않으며 기도했어요. "하나님, 우리가 하나님께 죄를 지었습니다. 하지만 모세에게 하신 말씀을 기억해 주십시오. 하나님은 '너희가 만약 죄를 지으면 여러 민족 가운데로 흩어 버릴 것이다. 하지만 너희가 내게 돌아와 내 계명을 지키면 하늘 끝에서라도 너희를 불러 모아 내가 선택한 곳으로 데려올 것이다'라고 말씀하셨습니다."

느헤미야는 왕의 시중을 드는 동안에도 슬픔을 감출 수 없었어요. 왕은 "네 얼굴이 왜 그리 슬퍼 보이느냐? 마음에 걱정이 있는 것이 분명하다"라고 느헤미야에게 말했어요.

느헤미야는 겁이 났어요. 왕 앞에서는 누구도 슬퍼하는 모습을 보여서는 안 되었기 때문이에요. 느헤미야는 조심스럽게 왕에게 말했어요. "저의 조상이 살던 성은 폐허가 되었고, 성문은 불에 타 허물어졌다는 소식을 들었습니다."

왕은 느헤미야에게 무엇을 원하는지 물었어요. 느헤미야는 하나님께 기도한 후 왕에게 말했어요. "저를 유다로 보내 그 성을 다시 세울 수 있게 해 주십시오."

왕은 느헤미야가 유다에 다녀오는 것을 허락했어요. 느헤미야가 유다에 도착할 때까지 무사히 통과할 수 있도록 사람들에게 보여 줄 편지도 써 주었어요. 또한 예루살렘의 성문과 성벽을 짓는 데 필요한 나무도 주었어요. 그리고 느헤미야를 보호하기 위해 자신의 군사까지 보냈어요.

예루살렘에 도착한 지 3일 후, 느헤미야는 한밤중에 일어나 성벽을 살펴보러 나갔어요. 그러고는 유다 백성에게 말했어요. "우리는 어려움을 겪고 있습니다. 성은 폐허가 되었고, 성문은 불탔습니다. 자, 이제 힘을 모아 예루살렘 성벽을 다시 세웁시다."

느헤미야는 하나님이 자신을 어떻게 도와주셨는지, 그리고 왕이 무슨 말을 하고 어떤 도움을 주었는지 사람들에게 모두 이야기했어요. 사람들은 "성벽 공사를 시작합시다!"라고 말하며, 느헤미야와 함께 성벽을 다시 세우기 시작했어요.

●● 가스펠 링크

느헤미야는 하나님이 그의 백성을 돌보고 거할 곳을 주겠다고 하신 약속을 믿었어요. 예수님을 믿는다는 것은 하나님이 하나님의 백성인 우리에게 거할 곳을 주겠다고 하신 약속을 믿는 거예요. 예수님은 하나님께 온전히 순종하셔서 십자가에서 죽으시고 다시 살아나심으로 우리가 하나님과 영원히 함께 살 수 있게 하셨어요.

가스펠 준비

10~20분

환영

도착하는 아이들을 반갑게 맞이하고 헌금, 출석, QT 등을 확인하며 격려한다. 새 친구가 있다면 소개한다. 편안한 분위기에서 안부를 물으며 오늘의 말씀과 관련된 화제로 이야기를 나눈다. 아이들에게 뉴스를 본 적이 있는지, 뉴스를 보고 가장 기억에 남는 소식이 무엇이었는지 물어본다. 자발적으로 대화에 참여하도록 이끈다.

예) "뉴스를 본 적이 있나요?", "어떤 내용을 다루고 있었나요?" 등.

— 사람들은 뉴스를 통해 이 세상에 일어나는 다양한 소식을 전해 들어요. 오늘 우리는 성경 이야기를 통해 고향 예루살렘에서 멀리 떨어져 살았지만, 고향 소식을 듣고 슬퍼한 사람에 대해 배울 거예요.

마음 열기

얼굴만 봐도 알아요 *

[준비물] 색인 카드, 펜

① 색인 카드에 감정과 관련된 단어들을 써 둔다.

예) 행복하다, 놀라다, 화가 나다, 당황스럽다, 슬프다, 피곤하다 등.

② 아이 중 자원자를 뽑아 카드 한 장을 보여 준다. 카드에 적힌 감정을 표정으로 보여 주라고 한다.

③ 어떤 감정인지 맞힌 아이에게 다음 카드를 보여 준다.

④ 아이들이 모두 한 번씩 참여할 수 있게 한다.

— 우리는 우리가 어떻게 느끼고 있는지 표정으로 보여 줄 때가 많아요. 오늘 성경 이야기에 나오는 페르시아왕은 느헤미야의 얼굴만 보고도 예루살렘 소식을 듣고 슬퍼하는 그 마음을 알 수 있었어요. 그다음에는 무슨 일이 일어났을까요?

벽을 세워요 *

[준비물] 집짓기 블록

① 아이들에게 집짓기 블록을 나누어 주고, 탁자나 의자 주위에 벽을 세우라고 한다.

② 아이들에게 벽의 역할을 말해 준다.

③ 쌓은 벽 일부를 무너뜨리고, 무너진 상태에서도 제 역할을 할 수 있을지 물어본다.

— 하나님의 백성이 고향인 예루살렘으로 돌아갔어요. 예루살렘의 성벽은 무너져 있었지만, 아무도 다시 세우지 않았어요. 성벽은 도시를 지키는 중요한 역할을 하기 때문에, 성벽이 무너졌다는 소식을 들은 느헤미야는 너무나 슬펐어요. 이 소식을 들은 느헤미야가 어떻게 했는지 성경 이야기를 통해 알아보아요.

가스펠 설교

15~30분

들어가기

[준비물] 운동복, 물안경, 자전거 헬멧

운동복을 입고, 목에는 물안경을 두르고, 자전거 헬멧을 쓰고 들어온다. 스트레칭을 하고 제자리 뛰기를 한다.

안녕하세요, 여러분! 다시 만나서 반가워요! 다시 철인 3종 경기 훈련을 해야겠어요! 연습하면 할수록 점점 튼튼해지는 것 같아요! 우스꽝스럽게 몸을 푸는 동작을 한다. 이전보다 훨씬 더 튼튼해 보이지 않나요? 실은 어제 좋지 않은 소식을 하나 들었어요. 철인 3종 경기의 마지막 코스인 달리기 구간이 태풍으로 큰 피해를 당했다고 해요. 도로가 복구되지 않으면 안전하게 달릴 수가 없어요. 경기 전에 잘 복구되기를 기도하고 있어요.

여러분도 이런 나쁜 소식을 들은 적 있나요? 나쁜 일이 일어나면 실망하게 되지만 감사하게도 하나님이 여전히 모든 것을 책임지신다고 믿을 수 있어요.

느헤미야는 예루살렘에 사는 사람들로부터 나쁜 소식을 듣고 어떻게 행동했을까요? 오늘의 성경 이야기를 통해 느헤미야처럼 용기를 얻기를 바라요.

연대표

에스더를 통해 하나님의 백성을 구하셨어요

느헤미야가 예루살렘의 소식을 들었어요

예루살렘 성벽을 다시 세웠어요

에스라가 하나님의 율법을 읽었어요

지난 2주 동안 하나님이 하나님의 백성을 구하기 위해 에스더를 사용하셨다는 것을 배웠어요. 이번 주에는 느헤미야를 통해 나타난 하나님의 신실하심을 배울 거예요. 느헤미야는 페르시아왕에게 술을 따르는 관리였어요. 연대표에서 오늘의 성경 이야기를 가리킨다. 오늘 성경 이야기는 "느헤미야가 예루살렘의 소식을 들었어요"랍니다.

성경의 초점

'성경의 초점'의 질문은 **"하나님은 약속을 지키시나요?"**예요. 이 질문의 답은 무엇인가요? 아이들의 대답을 기다린다. **신실하신 하나님은 언제나 약속을 지키세요.** 오늘의 성경 이야기를 들으며 하나님이 어떻게 백성에게 하나님의 신실하심을 보여 주셨는지 잘 생각해 보세요.

성경 이야기

DVD 느헤미야 1~2장을 펴고, 설교 영상(지도자용 팩)을 보여 주거나 이야기 성경을 들려준다.

예루살렘은 유다의 수도이자 하나님의 성전이 있는 특별한 장소였어요. 느헤미야는 예루살렘의 성벽과 성문이 무너졌다는 소식을 듣고 너무나 슬펐어요. 성벽과 성문이 없으면 적으로부터 보호받지 못한다는 사실을 느헤미야는 잘 알았어요! 하나님의 백성을 해치거나 물건을 훔치고 싶으면 누구든 예루살렘 성에 들어와 문제를 일으킬 수 있었지요.

느헤미야는 모든 이스라엘 사람을 대신해 하나님께 기도했어요. 하나님께 불순종한 이스라엘 백성은 하나님의 축복을 받을 자격이 없지만, 그래도 하나님이 백성에게 하신 약속을 기억해 달라고 기도했어요. 느헤미야는 하나님이 그의 백성을 돌보고 거할 곳을 주겠다고 하신 약속을 믿었어요. **느헤미야는 하나님의 백성이 예루살렘 성벽을 다시 세울 수 있도록 도와 달라고 하나님께 기도했어요. 하나님은 약속을 지키시나요? 신실하신 하나님은 언제나 약속을 지키세요.**

예수님은 하나님께 온전히 순종하셨어요. 예수님이 십자가에서 죽으시고 부활하심으로 우리는 하나님과 영원히 함께할 수 있게 되었어요. 느헤미야가 하나님의 백성을 대신해서 하나님 앞에 나갔듯이, 예수님은 우리를 대신해서 하나님 앞에 서셨어요. 예수님의 죽음과 부활을 믿으면 예수님처럼 의롭게 되고, 하나님은 우리에게서 온전히 순종하신 예수님을 보세요.

찬양

주의 인자와 긍휼이

하나님의 크신 계획 결코 변하지 않고
하나님의 크신 사랑 영원무궁하네
주의 구원 바라보며 잠잠히 나아갈 때에
주님 신실하심은 우릴 인도하시리

주의 인자와 긍휼이 무궁하시며
아침마다 새롭고 늘 새로우시나니
주의 백성들은 기뻐하고
주의 선하심은 영원하심이라

주의 사랑은 영원하며 주의 말씀은 능력이시라
주의 약속을 믿는 자는 구원함을 얻을 것이라

주의 인자와 긍휼이 무궁하시며
아침마다 새롭고 늘 새로우시나니
주의 백성들은 기뻐하고
주의 선하심은 영원하심이라.

DVD ※지도자용 팩 또는 가스펠 프로젝트 홈페이지(gospelproject.co.kr)에서 이용하세요.

복음 초청

성경과 45쪽 복음 초청 가이드를 이용해서 아이들에게 그리스도인이 되는 법을 설명해 준다. 따로 상담해 줄 사람을 정해 주고 궁금한 점이 있으면 물어보도록 격려한다.

이 시간 예수님을 마음에 모시고 싶은 친구는 함께 기도해요.

기도

하나님, 느헤미야 이야기를 통해 약속을 이루시는 하나님의 모습을 보았습니다. 하나님의 약속을 기억하며 기도했던 느헤미야처럼 우리도 하나님의 약속을 믿으며 살아가게 해 주세요. 우리를 하나님의 백성으로 불러 주시고, 하나님과 영원히 함께하게 해 주셔서 감사합니다. 날마다 예수님을 더 닮아가도록 인도해 주세요. 예수님의 이름으로 기도합니다. 아멘.

적용

TIP 설교 도입이나 적용으로 활용하거나 영상을 본 뒤 소그룹으로 나누어 풍성한 대화를 이어 갈 수 있습니다.

느헤미야는 하나님의 백성이 예루살렘 성벽을 다시 세울 수 있도록 도와 달라고 하나님께 기도했어요. 여러분은 어려움을 겪는 사람들의 소식을 들으면 어떻게 하나요?

DVD 적용 예화 영상(지도자용 팩)을 보여 준다.

다른 사람들을 돕기 어려운 이유는 무엇인지 물어본다. 어떻게 하면 어려운 사람들을 기꺼이 도울 수 있는지 이야기를 나누어 본다.

하나님은 모든 사람을 사랑하세요. 그리고 하나님은 우리 역시 모든 사람을 사랑하기를 원하세요. 하나님이 사람들을 사랑하신다는 사실을 보여 주는 가장 좋은 방법은 그들이 어려울 때 돕는 것이에요. 예수님은 우리를 구원하시기 위해 십자가에서 죽으시고 다시 살아나셨어요. 예수님을 믿을 때 하나님은 우리가 주변 사람들을 도울 수 있도록 힘을 주세요. 예수님이 우리의 죄 문제를 해결하기 위해 어떻게 죽으시고 부활하셨는지 전하는 것은 다른 사람들을 돕는 위대한 방법이에요.

가스펠 소그룹

10~20분

나침반

지우면 말씀이 보여요

[준비물] 학생용 교재 48쪽, 연필

① 아이들에게 지시를 따라 파란색 글자, 영어, 그림을 지워 보라고 한다.

② 지시에 따라 완성한 예레미야애가 3장 22~23절을 함께 읽는다.

③ 여러 번 읽으며 암송할 수 있게 돕는다.

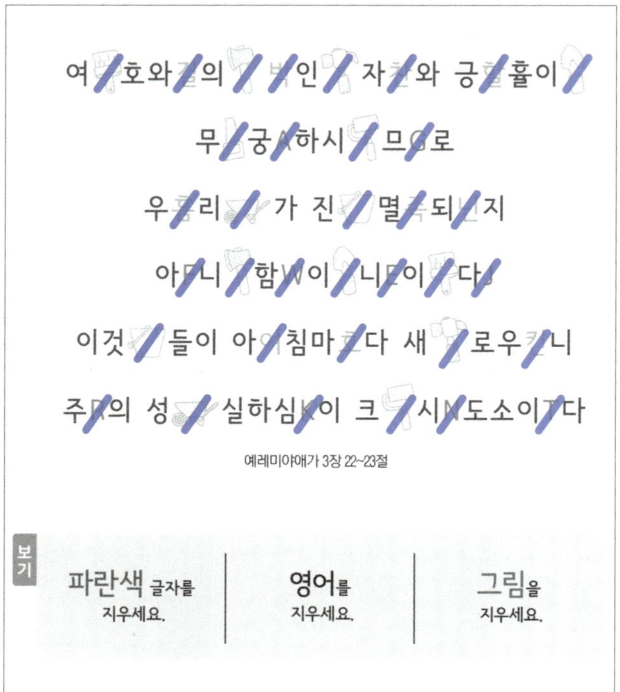

하나님은 약속을 지키시나요? 신실하신 하나님은 언제나 약속을 지키세요. 느헤미야는 하나님이 하나님의 백성을 보호하고 영원히 함께하시겠다고 말씀하신 약속을 지키실 것이라고 믿었어요. 그 약속을 기억하며 기도했어요. 하나님은 느헤미야의 기도를 들으셨어요. 하나님은 언제나 우리의 기도를 들으세요.

보물 지도

성벽을 지키자!

[준비물] 성경, 젠가 2세트

① 성경에서 느헤미야 1~2장을 찾으라고 한다.

② 아이들을 2팀으로 나누고, 팀별로 젠가를 쌓으라고 한다.

③ 인도자가 각 팀에게 번갈아 가며 질문한다.

④ 정답을 맞히면 정답을 말한 팀의 젠가에서 블록을 하나 빼라고 한다. 틀린 답을 말하면, 다른 팀이 답을 말하고 블록을 뺄 수 있다고 말해 준다.

⑤ 탑이 무너지면 놀이가 끝난다. 블록을 더 많이 빼낸 팀이 이긴다.

1 느헤미야는 무슨 일을 했나요?

왕을 위해 술을 따르는 관원이었다 (느 1:11)

2 느헤미야는 무슨 소식을 들었나요?

예루살렘의 성이 무너지고 성문이 불탔다는 소식을 들었다 (느 1:3)

3 소식을 들은 느헤미야는 무엇을 했나요?

며칠 동안 슬퍼하고, 금식하며 하나님께 기도했다 (느 1:4)

4 아닥사스다왕은 느헤미야를 보고 무엇을 알아차렸나요?

느헤미야의 마음에 근심이 있음을 알아챘다 (느 2:2)

5 느헤미야는 왕에게 어떤 부탁을 했나요?

자신을 유다 땅으로 보내 무너진 성을 다시 세우게 허락해 달라고 말했다 (느 2:5)

6 왕은 느헤미야가 예루살렘성을 다시 세우는 일을 돕기 위해 무엇을 주었나요?

느헤미야가 예루살렘까지 안전하게 여행하게 하고, 왕의 숲에서 나무를 가져갈 수 있다고 허락하는 편지를 써 주었다 (느 2:7~8)

7 예루살렘에 도착한 느헤미야는 무엇을 했나요?

무너진 성벽을 살펴보고, 유다 사람들에게 성벽을 다시 세우자고 말했다 (느 2:11~18)

8 **하나님은 약속을 지키시나요?**

신실하신 하나님은 언제나 약속을 지키세요.

느헤미야는 하나님의 백성이 예루살렘 성벽을 다시 세울 수 있도록 도와 달라고 하나님께 기도했어요. 느헤미야는 하나님이 언제나 신실하시다는 사실을 알았고, 하나님의 백성이 예루살렘 성벽을 다시 세울 수 있도록 하나님이 도와주실 것이라 믿었어요. 하나님은 하나님의 백성이 성벽을 다시 세울 수 있도록 도우셨어요.

탐험하기

딱! 맞는 단어 찾기

[준비물] 학생용 교재 49쪽, 연필

① 숨은 단어를 가능한 한 많이 찾아보라고 한다.

② 찾은 단어들 중에 알맞은 단어를 이용해 문장을 완성하게 한다.

③ 느헤미야가 예루살렘 소식을 듣고 어떤 마음이었을지 아이들과 이야기를 나눈다.

바	예	루	살	렘	상	님	핫	쿨
치	은	먹	차	물	성	열	망	루
벽	킨	느	청	랄	벽	경	콩	깍
밤	온	길	헤	찬	파	하	기	차
바	보	개	연	미	밥	바	춘	하
우	흠	성	서	사	야	파	티	복
재	하	나	님	세	균	구	름	장
일	렴	다	연	강	코	정	수	호
보	백	중	굴	아	교	기	도	랑
싼	리	성	국	지	야	민	노	사

느헤미야 는 하나님의 백성 이 예루살렘 성벽 을 다시 세울 수 있도록 도와 달라고 하나님 께 기도 했어요.

— 느헤미야는 예루살렘의 소식을 듣고 슬퍼하며 울었어요. **느헤미야는 하나님의 백성이 예루살렘 성벽을 다시 세울 수 있도록 도와 달라고 하나님께 기도했어요.** 마침내 느헤미야는 예루살렘으로 갔어요. 그리고 하나님께 기도하며 사람들과 함께 무너진 성벽을 쌓았어요. 하나님은 언제나 기도를 들으세요.

나를 따라해요 *

[준비물] 색인 카드, 펜

① 색인 카드에 몸으로 표현할 수 있는 단어들을 써 둔다.

예) 원숭이, 김연아, 기도, 발레, 축구, 바이올린 등.

② 아이들에게 단어를 하나씩 보여 주고, 떠오르는 생각을 몸으로 표현해 보라고 한다.

③ 모두 같은 동작을 할 때 점수를 준다.

④ 한 단어당 3번의 기회를 주고, 점수를 얻지 못하면 다음 단어로 넘어간다.

— 예루살렘에 도착한 느헤미야는 성벽을 다시 세우자고 하나님의 백성을 설득했어요. 그러나 원수들은 하나님의 백성이 성벽을 다시 세우지 못하도록 방해했어요. 우리 주변에도 하나님을 따르지 못하도록 방해하는 사람이 있을 수 있어요. 하지만 우리는 하나님께 충성하기로 마음먹을 수 있어요. 우리가 그렇지 않을 때조차 하나님은 언제나 우리와 함께하시기 때문이에요.

집 만들기 *

[준비물] 라벨지, 매직

① 아이들에게 라벨지를 한 장씩 나누어 주고, 집을 지을 때 필요한 재료들을 하나씩 적어 보라고 한다.

② 라벨지를 가슴 또는 배에 붙이라고 하고, 아이들을 2팀으로 나눈다.

③ '우리 집에 왜 왔니' 노래를 부르며 상대 팀에서 필요한 재료를 붙인 아이를 데려오라고 한다.

예) "우리 집에 왜 왔니~ 왜 왔니~"

"벽돌 가지러 왔단다~ 왔단다~ 왔단다~"

"가위, 바위, 보!"

④ 아이들 가슴 또는 배에 붙여진 재료들을 보고, 상대 팀의 모든 재료를 먼저 획득한 팀이 이긴다.

— 예루살렘에 도착한 느헤미야는 한밤중에 밖으로 나가 성벽을 조사했어요. 그가 들었던 대로 성벽은 모두 무너져 있었어요. **느헤미야는 하나님의 백성이 예루살렘 성벽을 다시 세울 수 있도록 도와 달라고 하나님께 기도했어요.**
하나님은 이 땅에 예수님을 보내 하나님의 신실하심을 보이셨어요. 예수님은 하나님이 보내겠다고 약속하신 구세주예요. **신실하신 하나님은 언제나 약속을 지키세요.**

보물 상자

나만의 기록장

[준비물] 학생용 교재 50쪽, 연필이나 색연필

① 어떤 일을 행동으로 옮기기 전에 하나님께 도와 달라고 기도한 적이 있는지 물어보고, 그 경험을 그림이나 글로 표현해 보라고 한다.

② 기도했을 때 하나님이 어떻게 도우셨는지 아이들과 이야기를 나눈다.

— 느헤미야는 아닥사스다왕에게 예루살렘에 다녀오게 해 달라고 부탁하기 전에 먼저 하나님께 기도했어요. 예수님도 십자가를 지러 가시기 전에 하나님께 기도했어요. 어떤 일을 할 때 기도하지 않고도 잘할 수 있다고 생각할 수 있어요. 하지만 우리를 사랑하시는 하나님은 우리에게 가장 좋은 것을 주고 싶어 하세요. 하나님께 도움과 지혜를 달라고 기도하면 하나님은 우리의 기도를 듣고 응답하세요.

메시지 카드

이번 주 메시지 카드로 부모님과 함께 오늘 배운 성경 이야기를 나누어 보라고 한다.

기도

하나님, 언제나 우리에게 가장 좋을 것을 주시는 하나님의 은혜에 감사드립니다. 느헤미야가 무너진 예루살렘을 위해 기도한 것처럼, 우리도 어렵고 힘든 일이 있을 때 하나님께 기도할 수 있도록 인도해 주세요. 언제나 우리를 지키고 보호하겠다는 하나님의 약속을 기억하게 해 주세요. 예수님의 이름으로 기도합니다. 아멘.

칼 럼

교회 사역에서 결정적인 30초!

지역 교회 사역을 처음 시작했을 때 교회 지도자들에게서 교회를 처음 찾은 방문객들이 경험하게 되는 처음 몇몇 순간들이 얼마나 결정적인지에 관해 설명을 들었습니다. 교회가 방문객들에게 호의적인 태도를 보이는 것은 매우 중요합니다. 우리가 다른 사람들을 반갑게 맞이하는 이유는 예수 그리스도께서 우리를 그렇게 대하셨기 때문입니다.

저는 아버지가 된 후 결정적인 순간을 하나 더 발견했습니다. 예배와 공과 공부 시간이 끝난 뒤 부모님들이 아이들을 데려가는 30초의 순간이 바로 그것입니다!

어떤 교회들은 이 30초를 '관계 지향적 의도성'을 가지고 활용합니다. 그들은 제자도의 가족적 특성을 전략적으로 생각해 교사나 교역자들이 관계 지향적으로 호의를 가지고 행동하도록 훈련시킵니다. 그 결정적인 30초가 관계 지향적 의도성을 띨 때 다음 두 가지 일이 일어납니다.

1. 부모님들이 교회와 개인적으로 교류할 수 있는 기회가 됩니다.

수많은 부모님이 체험 수업이나 학부모 상담에 참여하는 이유가 있습니다. 꼭 그리스도인이 아니더라도 부모라면 누구나 자기 자녀들에게 영향을 주고 있는 사람이 누구인지, 자녀들이 자기가 속한 환경에서 어떻게 지내고 있는지 알고 싶어 합니다. 아버지나 어머니가 아이를 데리러 오는 30초야말로 부모님들이 자기 가족이 교회에서 사랑받고 있으며 소중히 여겨지고 있다는 사실을 알고 느낄 수 있는 더할 수 없이 좋은 기회입니다.

2. 부모님들이 가족을 인도하는 데 도움을 받을 기회가 됩니다.

제게는 어린 딸이 두 명 있습니다. 딸들과 함께 '교회에서 무엇을 배웠는지'에 관해 이야기를 나눌 때, 그날 배운 성경 이야기가 담긴 활동지나 부모용 가정통신문이 있을 경우 훨씬 수월했습니다. 교회가 부모인 제게 제공하는 자료에 따라 대화의 질이 달라집니다.

저는 목사입니다. 그러니까 딸이 엘리야를 잘못 말하여 "엘사가 하나님께 불을 붙여 달라고 기도하는 이야기 있잖아요!"라고 말해도 그 과의 내용이 무엇인지 압니다. 하지만 성경 공부를 많이 해 보지 않은 아버지라면 어떨까요? 이런 상황에서 어린 딸과 어떤 대화를 나누게 될까요? 부모님들이 가족을 잘 인도할 수 있도록 돕는 것은 매우 중요합니다.

여러분은 지금 관계 지향적으로, 그리고 의도적으로 30초의 배웅 시간을 사용하고 있습니까? 어린이들의 아버지, 어머니를 목양하는 일에 관계 지향적이 되십시오. 그리고 그들이 자녀들과 주님에 대해 대화를 나눌 수 있도록 도와주고자 하는 의도를 가지십시오.

이 글을 쓴 에릭 가이거(Eric Geiger)는 LifeWay의 부회장입니다.

9

예루살렘 성벽을 다시 세웠어요

느 3:1~6:16

단원 암송

여호와의 인자와 긍휼이 무궁하시므로
우리가 진멸되지 아니함이니이다
이것들이 아침마다 새로우니
주의 성실하심이 크시도소이다
(애 3:22~23).

성경의 초점

하나님은 약속을 지키시나요?
신실하신 하나님은 언제나 약속을
지키세요.

본문 속으로

바벨론 사람들은 하나님의 백성을 바벨론으로 끌고 가면서 예루살렘을 파괴했습니다. 여러 해가 지난 후 하나님의 백성이 성전을 다시 세우기 위해 돌아왔지만 반대에 부딪혀 예루살렘 재건을 중단했습니다(스 4:7~24 참조). 성을 둘러싼 성벽과 성문은 계속 무너진 채로 있었습니다.

성경 시대에는 성벽과 성문이 아주 중요했습니다. 성벽은 적에 맞서 성을 안전하게 보호하는 역할을 했기 때문에 가능한 한 두껍게 쌓았습니다. 성문은 도시 생활의 중심으로, 시장이 서거나 사람들이 모이는 장소였습니다. 예루살렘은 성벽과 성문이 없었기 때문에 이곳에 사는 하나님 백성은 적의 공격을 받기 쉬울 뿐만 아니라 생활에 많은 어려움을 겪었습니다.

느헤미야는 예루살렘 성벽을 재건하기 위해 페르시아에서 예루살렘으로 옵니다. 그는 사람들을 효율적으로 이끌었습니다. 느헤미야 3장은 성문과 성벽을 다시 세우기 위해 모든 백성이 함께 일하는 모습을 보여 줍니다.

하지만 오래지 않아 느헤미야는 하나님의 백성을 공격하려는 그 지역 지도자들의 반대에 부딪혔습니다. 하나님의 백성은 무기를 갖추고 계속 성벽을 쌓았습니다. 그들은 52일 만에 성벽을 완성했습니다.

원수들이 어떻게 반응했는지 보십시오. "우리의 모든 대적과 주위에 있는 이방 족속들이 이를 듣고 다 두려워하여 크게 낙담하였으니 그들이 우리 하나님께서 이 역사를 이루신 것을 앎이니라"(느 6:16).

●● 티칭 포인트

이제 하나님의 백성은 원수들에 맞서 자신을 보호할 수 있게 되었습니다. 우리가 원수와 죄와 죽음에서 보호받을 수 있는 길을 하나님이 주셨다는 사실을 아이들이 이해할 수 있도록 도와주십시오. 하나님은 아들이신 예수님을 보내 우리를 대신해 십자가에서 죽게 하셨습니다. 우리는 여전히 죄를 짓지만 더 이상 죄의 노예가 아닙니다(롬 6:17~18 참조). 죄를 지었기 때문에 육체적으로는 죽지만 영원한 생명을 얻습니다(요 11:25~26; 롬 6:23 참조).

주 제

하나님은 느헤미야가 하나님의 백성을 이끌고 예루살렘 성벽을 다시 세우게 하셨어요.

가스펠 링크

느헤미야는 예루살렘 성벽을 다시 세워 적의 공격을 막을 수 있도록 하나님의 백성을 이끌었어요. 예수님은 원수들로부터 우리를 보호하시기 위해 이 땅에 오셨어요.

예루살렘 성벽을 다시 세웠어요 느 3:1~6:16

느헤미야는 하나님의 백성이 성벽을 다시 세울 수 있도록 돕기 위해 예루살렘으로 갔어요. 사람들은 함께 힘을 모아 성벽과 불탄 성문들을 고치기 시작했어요. 예루살렘의 성벽과 성문에는 각각 이름이 있었어요. 어떤 사람들은 '물고기 문'에서 일했어요. 물고기 문은 물고기 시장으로 들어가는 입구였어요. 어떤 사람들은 '양 문'에서 일했지요. 이 문은 사람들이 양을 팔기 위해 모이는 장소로 이어졌어요. '골짜기 문'이나 '옛 문', '말 문'에서 일하는 사람들도 있었어요.

사람들은 성벽에 문과 빗장, 걸쇠를 달았어요. 그리고 돌로 벽의 구멍과 틈을 메웠어요. 사람들은 성 전체를 둘러싸고 나란히 서서 일했어요. 성벽은 금방 절반 높이까지 세워졌어요!

그러나 예루살렘 성벽이 다시 세워지는 것을 좋아하지 않는 사람도 있었어요. 주변에 살던 다른 민족들은 화를 냈어요. 산발랏과 도비야는 "이 사람들은 도대체 무엇을 하는 것이냐? 흙무더기 속에서 다 타버린 돌들로 성벽을 다시 세우겠다는 말이냐? 여우라도 한 마리 올라가면 그들이 쌓은 성벽은 다시 완전히 허물어질 것이다!"라고 말하며 유다 사람들을 비웃었어요.

느헤미야는 기도했어요. 유다 사람들은 계속해서 성벽을 쌓았지만, 원수들은 하나님의 백성을 공격해 성벽 쌓는 일을 중단시키려고 했어요. 하나님의 백성은 기도하면서 당번을 정해 밤낮으로 성벽을 지켰지만, 기가 죽었어요. 그들은 "사방이 우리를 공격하려고 합니다!"라고 말했어요.

느헤미야는 백성에게 용기를 불어넣었어요. "적들을 두려워하지 마십시오. 위대하고 강하신 하나님을 기억하며 힘을 내십시오! 우리 하나님께서 우리를 위해 싸우실 것입니다!" 산발랏과 도비야는 하나님의 백성을 위협했지만, 성벽 공사를 중단시킬 수는 없었어요. 산발랏과 도비야는 성벽 공사의 책임자가 아니었어요. 하나님이 책임자셨지요!

하나님의 백성은 힘을 내어 다시 일했어요. 어떤 사람들은 무기를 든 채 보초를 서고, 어떤 사람들은 성벽에서 일했어요. 한 손에는 무기를 들고 다른 한 손으로 일하는 사람도 있었어요. 만약의 경우 싸울 수 있도록 항상 준비했어요.

느헤미야는 성벽을 다시 세우도록 하나님의 백성을 지혜롭게 이끌었어요. 어떤 문제가 생기든 해결할 수 있도록 도와주었고, 원수들에게 굴복하지 않았어요. 사람들은 계속해서 열심히 일했어요. 그 결과 52일 만에 성벽이 완성되었어요! 성문들은 모두 고쳐졌고, 성벽은 잘 세워졌어요. 예루살렘 성벽이 완성되었다는 소식을 들은 원수들은 하나님이 하나님의 백성과 함께하신다는 사실을 알게 되었어요.

●● 가스펠 링크

느헤미야는 예루살렘 성벽을 다시 세워 적의 공격을 막을 수 있도록 하나님의 백성을 이끌었어요. 예수님은 원수들로부터 우리를 보호하기 위해 이 땅에 오셨어요. 예수님은 사람들을 죄와 죽음에서 구하기 위해 십자가에서 죽으시고 죽은 자 가운데서 살아나셨어요.

가스펠 준비

10~20분

환영

도착하는 아이들을 반갑게 맞이하고 헌금, 출석, QT 등을 확인하며 격려한다. 새 친구가 있다면 소개한다. 편안한 분위기에서 안부를 물으며 오늘의 말씀과 관련된 화제로 이야기를 나눈다. 모형 비행기를 만들거나 블록으로 탑을 쌓아 본 적이 있는지 묻는다. 어려운 점이 무엇이었는지, 완성하도록 도와준 사람이 있었는지 이야기를 나눈다. 자발적으로 대화에 참여하도록 이끈다.

예) "모형 비행기를 만들어 본 적이 있나요?", "모형을 만들 때 어려운 점은 무엇이었나요?", "완성하도록 도와준 사람이 있었나요?" 등.

— 지난주 우리는 예루살렘 성벽을 다시 세우고 싶었던 느헤미야의 이야기를 들었어요. 성벽을 다시 쌓는 것은 큰 일이었어요! 오늘 우리는 성벽 공사를 시작한 느헤미야와 하나님의 백성에게 무슨 일이 일어났는지 배울 거예요.

마음 열기

양손으로 해보자 *

[준비물] 종이, 연필, 블록

① 아이들에게 평소에는 잘 쓰지 않는 손으로 이름을 쓰면서, 다른 손으로는 블록을 쌓아 보라고 한다.

② 양손을 바꾸어, 같은 활동을 반복해 보라고 한다.

③ 어떤 손으로 이름을 쓰거나 블록 쌓는 일을 더 잘할 수 있었는지 물어본다.

— 오늘 성경 이야기에서 하나님의 백성은 예루살렘을 둘러싼 성벽을 다시 짓기 시작했어요. 그들의 일을 막으려는 원수들 때문에, 하나님의 백성은 한 손에 칼을 들고 다른 한 손으로 일했어요! 과연 예루살렘 성벽 공사는 어떻게 되었을까요?

인간 매듭 *

① 아이들을 둥글게 세우고, 건너편에 있는 아이들의 손을 서로 맞잡으라고 한다. 이때 양손으로 각기 다른 아이의 손을 잡으라고 한다.

② 아이들에게 잡은 손을 놓지 않은 채, 몸을 팔 위로 올리거나 팔 아래로 몸을 숙이며 함께 엉킨 것을 풀어 보라고 한다.

③ 아이들이 엉킨 것을 풀어 손을 잡은 채 둥글게 서면 놀이를 끝낸다.

TIP 끝났을 때 어떤 아이들은 안을 바라보고 어떤 아이들은 밖을 바라볼 수도 있다.

— 우리는 엉킨 팔을 풀어 내려고 함께 노력했어요. 하나님의 백성 역시 큰일을 위해 힘을 합해야 했어요. 느헤미야는 예루살렘 성벽을 다시 세우고 싶었어요. 하나님은 성벽을 쌓기 위해 함께 노력하는 백성을 도우셨어요! 하나님의 백성이 어떻게 성벽을 완성했는지 곧 배우게 될 거예요!

가스펠 설교

15~30분

들어가기

[준비물] 운동복, 물안경, 자전거 헬멧

운동복을 입고, 목에는 물안경을 두르고, 자전거 헬멧을 쓰고 들어온다. 스트레칭을 하고 제자리 뛰기를 한다.

여러분, 반가워요! 여러분을 다시 만나서 너무 행복해요. 제가 어떤 경기를 준비하고 있는지 기억하나요? 아이들의 대답을 기다린다. 맞아요. 철인 3종 경기예요. 철인 3종 경기에는 어떤 종목들이 있는지 누가 말해 줄 수 있나요? 아이들의 대답을 기다린다. 완벽해요! 수영, 자전거 타기, 달리기예요. 철인 3종 경기를 위해 열심히 훈련했지만, 비웃는 사람들 때문에 경기를 끝내지 못한 사람들도 있다고 해요. 얼마나 끔찍한 기분이었을지 상상조차 할 수 없어요! 여러분 중에는 아무도 그런 사람이 없을 거예요. 여러분 모두 최선을 다하라고 저를 격려할 거예요. 그렇지 않나요? 비웃음 때문에 철인 3종 경기를 포기했던 사람의 이야기는 오늘의 성경 이야기를 생각나게 해요. 우리는 지난주에 이어 느헤미야 이야기의 다음 부분을 들을 거예요. 느헤미야와 하나님의 백성에게는 해야 할 큰일이 있었고, 그 일을 방해하는 원수들도 있었어요. 하지만 하나님은 유다 백성의 편이었어요!

연대표

에스더를 통해 하나님의 백성을 구하셨어요

느헤미야가 예루살렘의 소식을 들었어요

예루살렘 성벽을 다시 세웠어요

에스라가 하나님의 율법을 읽었어요

예루살렘에 관한 슬픈 소식을 들은 후, **느헤미야는 하나님의 백성이 예루살렘 성벽을 다시 세울 수 있도록 도와 달라고 하나님께 기도했어요.** 그는 무슨 일이 일어나고 있는지 확인하기 위해 예루살렘으로 갔어요. 오늘 우리는 하나님의 백성이 어떻게 성벽을 다시 세울 수 있었는지 배울 거예요! 연대표에서 오늘의 성경 이야기를 가리킨다. 오늘의 성경 이야기는 "예루살렘 성벽을 다시 세웠어요"예요.

성경의 초점

성경 이야기를 듣기 전에 먼저 2단원의 '성경의 초점'을 함께 말해 볼까요? **하나님은 약속을 지키시나요? 신실하신 하나님은 언제나 약속을 지키세요.** 하나님은 하나님의 신실하심을 유다 사람들에게 어떻게 보이셨을까요? 성경 이야기에 귀를 기울여 보세요.

성경 이야기

DVD 느헤미야 3장 1절~6장 16절을 펴고, 설교 영상(지도자용 팩)을 보여 주거나 이야기 성경을 들려준다.

하나님은 예루살렘성을 다시 세우려고 계획하셨어요. 그리고 어느 누구도 하나님이 이 일을 이루시는 것을 막을 수 없었어요! 느헤미야는 하나님이 하나님의 백성을 보호하신다고 믿었고, 하나님의 백성에게 신실하신 하나님을 믿으라고 격려했어요. 유다 백성은 두려움에 떠는 대신 그들을 돌보아 달라고 하나님께 기도했어요. 그들의 기도를 들으신 **하나님은 느헤미야가 하나님의 백성을 이끌고 예루살렘 성벽을 다시 세우게 하셨어요.**

우리는 때때로 낙심하고 두려울 때가 있어요. 두렵거나 절망적이라고 느낄 때 우리는 느헤미야처럼 하나님의 신실하심을 일깨워 주는 친구가 필요해요. **하나님은 약속을 지키시나요?** 네, 우리가 그렇지 않을 때조차 **신실하신 하나님은 언제나 약속을 지키세요.**

유다 백성에게 그들을 보호해 줄 성벽이 필요했듯이, 우리도 보호가 필요해요! 유다 사람들은 느헤미야의 지도 아래서 예루살렘 성벽을 다시 세웠어요. 우리의 원수는 죄예요.

하지만 그 어떤 벽으로도 죄를 막지 못해요. 원수들로부터 우리를 보호하기 위해 예수님이 오셨어요. 예수님은 사람들을 죄와 죽음에서 구하기 위해 십자가에서 죽으시고 죽은 자 가운데서 살아나셨어요.

죄는 우리 마음속에 있기 때문에 우리 마음을 죄로부터 보호해야 해요. 그러기 위해서는 예수님께 의지해야 해요! 예수님이 우리를 죄에서 구원하려고 십자가에서 죽으시고 다시 살아나셨기 때문에 우리는 더 이상 죄에 휘둘리지 않을 수 있어요. 우리가 예수님을 믿으면 하나님은 우리 죄를 용서하세요!

찬양

주의 인자와 긍휼이

하나님의 크신 계획 결코 변하지 않고
하나님의 크신 사랑 영원무궁하네
주의 구원 바라보며 잠잠히 나아갈 때에
주님 신실하심은 우릴 인도하시리

주의 인자와 긍휼이 무궁하시며
아침마다 새롭고 늘 새로우시나니
주의 백성들은 기뻐하고
주의 선하심은 영원하심이라

주의 사랑은 영원하며 주의 말씀은 능력이시라
주의 약속을 믿는 자는 구원함을 얻을 것이라

주의 인자와 긍휼이 무궁하시며
아침마다 새롭고 늘 새로우시나니
주의 백성들은 기뻐하고
주의 선하심은 영원하심이라.

DVD ※지도자용 팩 또는 가스펠 프로젝트 홈페이지(gospelproject.co.kr)에서 이용하세요.

복음 초청

성경과 45쪽 복음 초청 가이드를 이용해서 아이들에게 그리스도인이 되는 법을 설명해 준다. 따로 상담해 줄 사람을 정해 주고 궁금한 점이 있으면 물어보도록 격려한다.

이 시간 예수님을 마음에 모시고 싶은 친구는 함께 기도해요.

기도

하나님, 느헤미야의 기도를 들으시고 예루살렘 성벽을 다시 세울 수 있도록 하나님의 백성과 함께해 주셔서 감사합니다. 하나님은 언제나 우리의 기도를 들으시고 하나님의 일을 이루는 분이세요. 날마다 하나님의 신실함을 기억할 수 있도록 도와주세요. 하나님을 믿고 의지하며 하나님의 놀라운 일들을 볼 수 있도록 인도해 주세요. 예수님의 이름으로 기도합니다. 아멘.

적용

TIP 설교 도입이나 적용으로 활용하거나 영상을 본 뒤 소그룹으로 나누어 풍성한 대화를 이어 갈 수 있습니다.

하나님의 백성은 예루살렘 성벽을 다시 세우기 위해 열심히 일했어요. 여러분은 해야 할 일이나 숙제를 항상 열심히 하나요? 이 질문을 생각하며 다음 영상을 함께 보아요.

DVD 적용 예화 영상(지도자용 팩)을 보여 준다.

무엇인가를 아주 열심히 했던 적이 있나요? 혹은 무엇인가를 가능한 한 빨리 끝내려고 했던 적이 있나요?

어떤 사람이 자기 일을 더 자랑스러워할지 아이들에게 물어본다. 열심히 노력하기 어려운 상황에 관해 이야기를 나누어 본다.

힘든 일을 피하려는 것은 나쁜 일일까요? 하나님이 인도하시는 대로 최선을 다하려고 노력할 때 하나님께 영광을 돌릴 수 있어요. 우리는 우리가 하는 모든 일로 하나님께 영광을 돌려야 해요. 하나님은 우리가 하나님을 믿으면서 모든 일에 최선을 다하기를 바라세요.

가스펠 소그룹

10~20분

나침반

말씀의 성벽

[준비물] 학생용 교재 54쪽, 81쪽 '벽돌 스티커'

① 81쪽에 있는 '벽돌 스티커'를 성벽에 붙여 예레미야애가 3장 22~23절을 완성해 보라고 한다.

TIP 미리 성벽에 성경 구절을 적게 한 뒤, 스티커를 붙이게 해도 좋다.

② 완성한 암송 구절을 함께 큰 소리로 읽는다.

하나님은 느헤미야가 하나님의 백성을 이끌고 예루살렘 성벽을 다시 세우게 하셨어요. 느헤미야는 하나님의 말씀을 기억하며 기도했어요. 어려운 일이었지만 말씀에 의지해 기도할 때 하나님이 도우셨어요. 하나님은 우리가 기도할 때 기도를 들으시고 응답하세요.

보물 지도

우리 편 이겨라!

[준비물] 성경, 화이트보드(칠판), 보드마커(분필)

① 성경에서 느헤미야 3장 1절~6장 16절을 찾으라고 한다.

② 화이트보드에 빙고 게임 판을 가로 세로 3칸씩 모두 9칸이 되도록 그린다.

③ 아이들을 2팀으로 나누고, O와 X 중 각 팀이 사용할 표시를 정하게 한다.

④ 인도자는 각 팀에게 번갈아 질문한다.

⑤ 정답을 맞히면 게임 판에서 원하는 자리에 자기 팀 표시를 하게 한다.

⑥ 틀린 답을 말하면 반대 팀이 표시할 자리를 결정하게 한다.

예) X팀이 정답을 맞히면 X팀이 표시할 자리를 정한다. X팀이 틀린 답을 말하면 O팀이 X팀의 자리를 정한다.

⑦ 자기 팀의 표시를 한 줄로 먼저 이어지게 한 팀이 이긴다.

1 느헤미야는 예루살렘에서 무엇을 하고 싶었나요?

성벽을 다시 세우고 싶었다 (느 2:17)

2 새로 세운 성문의 이름을 2개 이상 말해 보세요.

양 문, 어문(물고기 문), 옛 문, 골짜기 문, 분문(거름 문), 샘 문(물 문), 마문(말 문) (느 3:3~32)

3 예루살렘 성벽이 세워지는 것을 방해한 사람은 누구인가요?

산발랏과 도비야 (느 2:19, 4:7)

4 느헤미야와 성벽을 세우는 사람들은 원수들에게 어떻게 맞섰나요?

보초를 정하고, 무기를 가지고 일했다 (느 4:21~23)

5 사람들이 성벽을 완성하기까지 며칠 걸렸나요?

52일 (느 6:15)

6 유다 사람들이 성벽을 다시 세우도록 누가 도와주었나요?

하나님 (느 6:16)

7 하나님은 약속을 지키시나요?

신실하신 하나님은 언제나 약속을 지키세요.

탐험하기

무엇을 보호하나요?

[준비물] 학생용 교재 55쪽, 연필

① 그림을 보고 보호하는 것과 보호받는 것을 서로 연결하라고 한다.

② 우리의 마음을 보호하는 것은 무엇인지 빈칸에 쓰게 한다.

우리는 소중한 것들을 보호하려고 해요. 성벽은 하나님의 백성을 원수들로부터 안전하게 보호해 주어요. 하나님은 하나님의 백성이 안전하기를 바라셨고, 성벽을 다시 세우도록 도와주셔서 하나님의 신실하심을 보이셨어요.

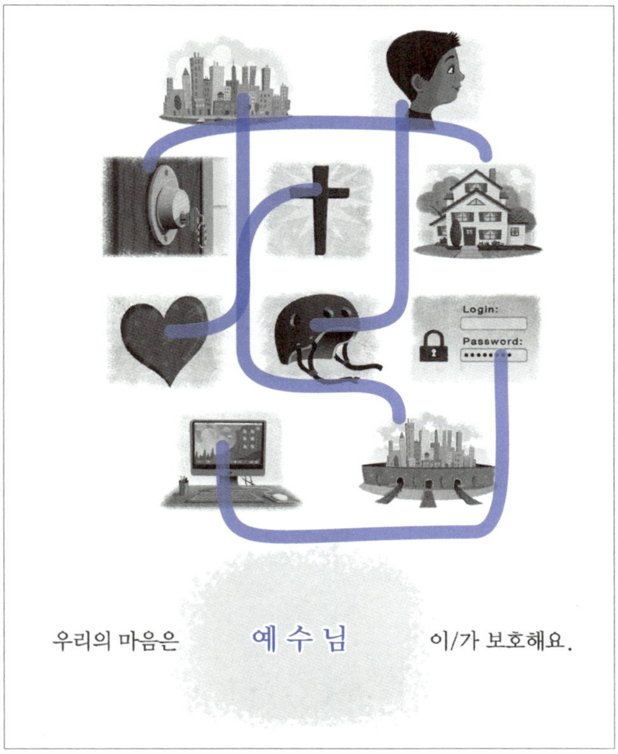

차곡차곡 *

[준비물] 4절지, 매직, 색종이, 풀

① 4절지에 매직으로 성벽을 그려 놓는다.

② 아이들에게 색종이와 풀을 나누어 주고, 색종이를 찢어 붙여 성벽을 채우라고 한다.

③ 성벽을 완성하면, 느헤미야와 백성들이 성벽을 다시 지었을 때 어떤 기분이 들었을지 이야기를 나누어 본다.

── 하나님의 백성을 적으로부터 보호하기 위해서는 성벽을 세우는 것이 중요했어요. 성벽을 다시 세우는 것은 어려운 일이었지만 느헤미야는 하나님의 약속을 믿으며 기도했어요. **하나님은 느헤미야가 하나님의 백성을 이끌고 예루살렘 성벽을 다시 세우게 하셨어요.**

예루살렘 성벽 만들기 *

[준비물] 찬양 1곡

① 아이들을 2팀으로 나누고, 마주보고 서게 한다. 아이들에게 손을 비스듬히 위로 올리고 앞 사람과 맞대어 터널(성벽)을 만들라고 한다.

② 성벽 맨 첫 줄에 있는 아이부터 순서대로 터널을 통과하면서 반대쪽으로 뛰어가 다시 성벽을 세우라고 한다.

③ 성벽이 예배실 반대쪽으로 옮겨갈 때까지 놀이를 반복한다.

── **하나님은 느헤미야가 하나님의 백성을 이끌고 예루살렘 성벽을 다시 세우게 하셨어요.** 하나님은 우리와 맺은 약속을 기억하고 지키는 분이세요. 하나님은 우리를 위해 예수님을 보내시고 예수님과 함께 어떤 어려움도 이기게 하셨어요.

보물 상자

나만의 기록장

[준비물] 학생용 교재 56쪽, 연필이나 색연필

① 나를 보호하고 도와주는 사람은 누구인지 물어본다.

② 그 사람이 나를 어떻게 보호해 주는지 그림이나 글로 표현하게 한다.

── **하나님은 느헤미야가 하나님의 백성을 이끌고 예루살렘 성벽을 다시 세우게 하셨어요.** 원수들은 하나님이 하나님의 백성과 함께하신다는 사실을 알게 되었어요. 하나님은 예수님을 우리에게 보내 주셨어요. 예수님은 원수들로부터 우리를 보호하기 위해 이 땅에 오셨어요. 우리가 예수님을 믿을 때 예수님은 언제나 우리와 함께하세요.

메시지 카드

이번 주 메시지 카드로 부모님과 함께 오늘 배운 성경 이야기를 나누어 보라고 한다.

기도

하나님, 언제나 우리와 함께하시는 하나님을 찬양합니다. 우리는 때때로 하나님을 믿지 못하고 마음대로 살 때가 있습니다. 우리의 죄를 용서해 주세요. 하나님을 믿고 의지하는 우리가 되도록 인도해 주세요. 예수님의 이름으로 기도합니다. 아멘.

10

에스라가 하나님의 율법을 읽었어요

느 8:1~12

단원 암송

여호와의 인자와 긍휼이 무궁하시므로
우리가 진멸되지 아니함이니이다
이것들이 아침마다 새로우니
주의 성실하심이 크시도소이다
(애 3:22~23).

성경의 초점

하나님은 약속을 지키시나요?
신실하신 하나님은 언제나 약속을
지키세요.

본문 속으로

에스라는 포로 시대의 마지막 제사장이었습니다. 유다 백성의 첫 번째 무리가 예루살렘으로 돌아와 성전을 완성한 지 50여 년이 지나, 에스라가 두 번째 무리를 이끌고 예루살렘으로 돌아왔습니다.

하나님은 느헤미야와 함께하셨듯이 에스라와도 함께하셔서 페르시아의 왕이 에스라에게 호의를 베풀게 하셨습니다. 왕은 에스라에게 예루살렘으로 가도 된다고 허락합니다. 그리고 국고를 사용하고 안전한 여행을 할 수 있도록 에스라에게 편지를 써 줍니다(스 7:11~26 참조).

에스라는 한 가지 목적을 가지고 예루살렘을 향했습니다. 70년 동안 포로 생활을 했던 하나님의 백성은 어떻게 살아야 하는지 다시 배워야 했습니다. *학자이기도 했던 에스라는 모세 율법의 전문가였고, "여호와의 율법을 연구하여 준행하며 율례와 규례를 이스라엘에게 가르치기로 결심"했습니다(스 7:10).

에스라는 하나님의 백성이 느헤미야의 지도로 예루살렘 성벽을 다시 세운 후에 예루살렘에 도착했습니다. 사람들은 모세의 율법을 듣기 위해 '물 문' 앞 광장에 모였습니다. 남자, 여자, 어린아이 등 알아들을 수 있는 사람이면 누구나 에스라가 읽어 주는 하나님 말씀을 들으려고 왔습니다.

이른 아침부터 정오까지 에스라는 모세의 율법책을 읽었습니다. 그는 모든 백성이 보고 들을 수 있도록 높은 나무 강단 위에 섰습니다. 에스라는 율법책을 폈고, 백성은 모두 일어섰습니다. 레위 사람들은 율법에 쓰인 말씀을 백성이 듣고 이해할 수 있도록 도와주었습니다.

하나님의 백성은 모세 율법을 듣고 깨달으며 강렬하게 반응했습니다. 느헤미야 8장 9절은 백성이 말씀을 듣고 울었다고 말합니다. 율법으로 그들의 죄가 드러났기 때문입니다.

티칭 포인트

하나님의 말씀은 강력합니다. 하나님의 율법은 우리의 죄 그리고 우리가 하나님의 기준에 얼마나 미치지 못하는지 드러냅니다. 아이들을 가르칠 때 우리는 우리의 힘만으로는 하나님의 요구에 맞출 수 없다는 사실을 깨달을 수 있도록 도와주십시오. 우리에게는 구원자가 필요합니다. 하나님은 예수님을 보내 완벽하게 율법을 지키고 우리의 죄를 대신 지고 죽게 하셨습니다. 우리는 예수님을 믿음으로써 구원을 얻을 수 있습니다.

*학자 : 학문을 연구하는 사람

주 제

에스라가 하나님의 말씀을 읽자, 백성은 그들의 잘못을 깨달았어요.

가스펠 링크

성경은 예수님이 '말씀'이라고 말해요. 예수님은 우리의 마음을 변화시킬 힘이 있어요.

에스라가 하나님의 율법을 읽었어요 느 8:1~12

예루살렘을 둘러싼 성벽이 드디어 완성되었어요! 백성은 하나님의 도움으로 52일 만에 성벽과 성문을 완성할 수 있었어요. 예루살렘에 있는 모든 사람은 이른 아침에 성문 앞 광장으로 모였어요. 남자, 여자, 어린아이 등 말을 알아들을 수 있는 사람은 누구나 에스라가 읽어 주는 하나님의 말씀을 들으려고 나왔어요.

해가 뜨자마자 제사장인 에스라가 하나님이 백성에게 주신 모세의 율법책을 가지고 나왔어요. 하나님의 말씀은 두루마리에 쓰여 있었어요. 에스라는 높은 나무 강단 위에 서서 읽기 시작했어요.

에스라는 몇 시간 동안 율법책을 읽었고, 사람들은 모두 일어서서 말씀을 열심히 들었어요. 에스라는 하나님을 찬양했고, 사람들은 손을 들어 "아멘! 아멘!"이라고 말했어요. 사람들은 얼굴을 땅에 대고 절하며 하나님을 예배했어요.

그곳에 있던 지도자와 레위 사람들은 에스라가 읽는 말씀을 사람들이 이해할 수 있도록 도와주었어요. 백성은 하나님이 주신 율법을 들으면서 울기 시작했어요. 율법은 하나님이 사람들에게 주신 규칙이었지만, 사람들은 그 규칙을 따르지 않았어요. 이제 그들은 자신이 죄를 지었다는 사실을 깨달았어요.

에스라와 레위 사람들과 느헤미야는 "오늘은 하나님께 거룩한 날입니다. 슬퍼하거나 울지 마십시오"라고 말했어요. 백성은 자신의 죄 때문에 슬펐지만, 이날은 행복한 날이었어요.

에스라는 사람들에게 "집에 가서 잔치를 준비하십시오! 맛있는 음식을 먹고 달콤한 음료를 마시십시오. 아무것도 준비하지 못한 사람들에게 여러분이 준비한 음식을 나누어 주십시오"라고 말했어요. 그리고 "오늘은 우리 주의 거룩한 날이니 슬퍼하지 마십시오. 하나님을 기뻐하는 것이 우리의 힘입니다"라고 말했어요.

백성은 에스라의 말을 따랐어요. 그들은 잔치를 준비했어요. 맛있는 음식을 먹고 달콤한 음료를 마셨어요. 음식과 음료를 준비하지 못한 사람들에게 나누어 주며, 모든 백성이 큰 잔치를 벌였어요. 그들은 하나님의 말씀을 깨달았기 때문에 너무나 기뻤어요.

●● 가스펠 링크

하나님의 말씀에는 강한 힘이 있어요. 에스라가 하나님의 말씀을 읽자 사람들은 돌이켜 하나님을 더욱 사랑하게 되었어요. 성경은 예수님이 '말씀'이라고 말해요. 예수님은 사람들과 함께 살기 위해 이 땅에 오신 하나님이세요. 예수님에게는 우리 마음을 변화시킬 힘이 있어요.

가스펠 준비

10~20분

환영

도착하는 아이들을 반갑게 맞이하고 헌금, 출석, QT 등을 확인하며 격려한다. 새 친구가 있다면 소개한다. 편안한 분위기에서 안부를 물으며 오늘의 말씀과 관련된 화제로 이야기를 나눈다. 무슨 책을 좋아하는지 물어본다. 왜 그 책을 좋아하는지 이야기를 나누어 본다. 자발적으로 대화에 참여하도록 이끈다.

예) "읽고 싶은 책이 있나요?", "어떤 책을 좋아하나요?", "그 책을 좋아하는 이유는 무엇인가요?" 등.

— 오늘 우리는 성경 이야기를 통해 하나님의 백성에게 아주 특별한 책을 읽어 준 사람에 대해 배울 거예요. 그는 무슨 책을 읽었을까요? 함께 성경 이야기를 들어 보아요.

마음 열기

성경의 길 *

[준비물] A4 용지, 펜, 사탕

① 종이에 인원수만큼 사다리 타기를 그린다. 도착점 중 하나에 '성경'이라고 쓰고 나머지 도착점에는 '✕'라고 쓴다.

② 사다리 부분을 가리고, 시작점에 숫자를 쓴다.

③ 아이들에게 숫자를 선택하게 한다.

④ 사다리 타기를 해서 '성경'에 도착한 아이에게 사탕을 준다.

— 좋은 지식을 담고 있는 책들이 많아요. 그런 책을 읽으면 아는 것이 많아지고 똑똑해질 수 있지요. 하지만 오직 성경만이 우리를 예수님께 데려다주어요. 오늘 성경 이야기에서는 하나님의 백성에게 하나님의 율법을 알려 주려고 하나님의 말씀을 읽어 준 한 사람을 만나게 될 거예요.

듣고 기억하기 *

[준비물] 종이, 연필, 스톱워치

① 30개 이상의 단어를 종이에 적어 둔다. (서로 관련 없는 단어들로 구성하는 것이 좋다.)

② 아이들에게 30초 동안 단어들을 보여 준다.

③ 시간이 되면 종이를 덮고, 아이들에게 기억나는 단어를 쓰라고 한다.

④ 누가 가장 많이 기억했는지 확인해 본다.

— 성벽이 완성된 후 에스라는 하나님의 백성에게 하나님의 말씀을 읽어 주었어요. 하나님은 하나님의 백성이 하나님의 말씀을 듣고 기억하기 바라셨어요. 하나님의 말씀에는 우리 삶을 놀라운 방식으로 바꾸는 힘이 있어요.

가스펠 설교

15~30분

들어가기

[준비물] 운동복, 물안경, 자전거 헬멧

운동복을 입고, 목에는 물안경을 두르고, 머리에는 자전거 헬멧을 쓰고 들어온다. 스트레칭을 하고 제자리 뛰기를 한다.

안녕하세요! 다시 만나서 정말 반가워요! 큰 경기를 앞두고 훈련할 시간이 일주일밖에 남지 않았어요! 어서 서둘러 훈련해야 해요!

제가 이 정도로 훈련할 수 있다는 것이 믿어지지 않아요. 훈련을 처음 시작했을 때는 조금만 뛰어도 엄청 숨이 찼거든요! 수영하면서는 숨을 쉴 때마다 물을 잔뜩 삼켰지요. 어휴, 한번은 자전거를 타다 힘이 다 빠져서 나무를 들이박을 뻔했어요. "서당 개 3년이면 풍월을 읊는다"라는 속담이 정말 정확해요. 오랜 시간을 들여 수영, 자전거 타기, 달리기 연습을 했더니 훨씬 쉬워졌어요. 처음에는 어려웠지만 그 일이 쉬워질 때까지 훈련해 본 사람 있나요? 아이들의 대답을 기다린다. 그런 경험이 있다니 정말 기뻐요. 하나님 말씀을 이해하는 일도 똑같아요. 성경을 읽으며 묵상하면 할수록 점점 더 하나님께 순종하고 싶어지거든요. 오늘은 성경 이야기에서 하나님 말씀에 순종하는 것에 관해 들을 거예요.

연대표

느헤미야가 예루살렘의 소식을 들었어요

예루살렘 성벽을 다시 세웠어요

에스라가 하나님의 율법을 읽었어요

말라기가 하나님의 말씀을 전했어요

하나님의 백성 중 많은 사람이 예루살렘으로 돌아왔어요. 그들은 성전을 다시 짓고, 원수들로부터 자신을 보호할 성벽과 성문을 모두 수리했어요. 유다 백성의 첫 번째 무리가 예루살렘으로 돌아와 성전을 완성한 지 50여 년이 지났어요. 에스라 제사장은 또 다른 하나님의 백성을 이끌고 고향으로 돌아왔어요. 에스라는 사람들에게 하나님의 말씀을 가르치고 싶었어요. 연대표에서 이번 주 성경 이야기를 가리킨다. 이번 주 성경 이야기는 "에스라가 하나님의 율법을 읽었어요"예요.

성경의 초점

성경 이야기를 듣기 전에 함께 '성경의 초점'을 말해 볼까요? **하나님은 약속을 지키시나요? 신실하신 하나님은 언제나 약속을 지키세요.** '성경의 초점'의 질문과 답을 생각하면서 하나님이 어떻게 하나님의 신실하심을 보여 주셨는지 오늘의 성경 이야기에 귀 기울여 보세요.

성경 이야기

DVD 느헤미야 8장 1~12절을 펴고, 설교 영상(지도자용 팩)을 보여 주거나 이야기 성경을 들려준다.

하나님의 백성은 포로 생활을 하는 동안 하나님의 말씀을 거의 잊어버렸어요. 에스라는 그들에게 하나님의 말씀을 일깨워 주는 것이 중요하다는 사실을 알았어요. 하나님은 하나님께 불순종한 하나님의 백성이 영원히 포로 생활을 하도록 내버려두실 수도 있었지만 그렇게 하지 않으셨어요. 신실하신 하나님은 그들을 고향으로 데려오시고 회복시키셨어요. **에스라가 하나님의 말씀을 읽자, 백성은 그들의 잘못을 깨달았어요.** 하나님은 백성의 마음을 움직여 하나님을 예배하게 하세요.

사람들은 자신이 얼마나 큰 죄를 지었는지 깨달았고, 그것 때문에 슬펐어요. 하지만 에스라는 슬퍼하지 말라고 말했어요. 에스라는 하나님이 선하시고 신실하시다는 사실을 잘 알았어요. 그래서 사람들에게 슬퍼하지 말고 하나님의 선하심을 기억하자고 했어요!

우리도 하나님의 선하심을 기억해야 해요. 아무리 노력해도 우리 힘만으로는 하나님의 율법에 순종할 수 없어요. 그래서 우리에게는 예수님이 필요해요. 예수님은 완벽한 삶을 사셨고, 하나님께 온전히 순종하셨어요. 예수님을 믿으면 예수님의 의로움 때문에 우리도 의롭게 되어요. 하나님은 우리를 예수님 안에서 의로운 사람으로 살아가게 해 주세요.

하나님의 말씀에는 강한 힘이 있어요. 에스라가 하나님의 말씀을 읽을 때 사람들은 자신의 잘못을 회개하고 하나님을 더욱 사랑하게 되었어요. 성경은 예수님이 '말씀'이라고 말해요. 예수님은 사람들과 함께 살기 위해 이 땅에 오신 하나님이세요. 예수님은 우리 마음을 변화시킬 힘이 있어요.

찬양

주의 인자와 긍휼이

하나님의 크신 계획 결코 변하지 않고
하나님의 크신 사랑 영원무궁하네
주의 구원 바라보며 잠잠히 나아갈 때에
주님 신실하심은 우릴 인도하시리

주의 인자와 긍휼이 무궁하시며
아침마다 새롭고 늘 새로우시나니
주의 백성들은 기뻐하고
주의 선하심은 영원하심이라

주의 사랑은 영원하며 주의 말씀은 능력이시라
주의 약속을 믿는 자는 구원함을 얻을 것이라

주의 인자와 긍휼이 무궁하시며
아침마다 새롭고 늘 새로우시나니
주의 백성들은 기뻐하고
주의 선하심은 영원하심이라.

DVD ※지도자용 팩 또는 가스펠 프로젝트 홈페이지(gospelproject.co.kr)에서 이용하세요.

복음 초청

성경과 45쪽 복음 초청 가이드를 이용해서 아이들에게 그리스도인이 되는 법을 설명해 준다. 따로 상담해 줄 사람을 정해 주고 궁금한 점이 있으면 물어보도록 격려한다.

이 시간 예수님을 마음에 모시고 싶은 친구는 함께 기도해요.

기도

하나님, 우리에게 말씀이신 예수님을 보내 주시고, 우리를 죄에서 구원해 주셔서 감사합니다. 우리의 마음이 하나님의 말씀으로 가득해지고, 하나님을 더욱 사랑할 수 있도록 도와주세요. 예수님을 통해 우리에게 보여 주신 하나님의 사랑을 다른 사람들에게 전하도록 우리를 인도해 주세요. 예수님의 이름으로 기도합니다. 아멘.

적용

TIP 설교 도입이나 적용으로 활용하거나 영상을 본 뒤 소그룹으로 나누어 풍성한 대화를 이어 갈 수 있습니다.

규칙을 잘 몰라서 어긴 적이 있나요? 지시를 따르지 않아 어려움을 겪었던 경험이 있나요? 이 질문들을 생각하며 다음 영상을 함께 보기로 해요.

DVD 적용 예화 영상(지도자용 팩)을 보여 준다.

왜 한 실험은 안전했고, 다른 실험은 폭발했는지 아이들에게 물어본다. 지시를 듣지 않아 문제가 생긴 경험에 관해 이야기를 나눈다.

하나님은 우리가 예수님을 통해 어떻게 살아야 할지 말씀으로 완벽하게 설명하셨어요. 하나님은 우리가 하나님 말씀을 읽고 연구하면서 하나님을 더 알아가기를 바라세요. 시간을 내어 하나님의 말씀을 읽어 보세요. 성령님이 말씀을 잘 이해하도록 도와주실 거예요. 그리고 우리 삶은 변할 거예요.

가스펠 소그룹

10~20분

나침반

하나님의 말씀을 외워요

[준비물] 학생용 교재 60쪽, 79~80쪽, 스테이플러, 꾸미기 재료(색연필, 사인펜, 스티커 등)

① 79~80쪽의 '구약 단원 암송' 책을 이용해 암송책을 만들게 한다.

② 다양한 재료로 자신만의 암송책을 꾸며 보라고 한다.

— 가스펠 프로젝트 구약 전체의 흐름을 알 수 있는 암송책을 만들어 보았어요. 지금까지 외운 15개의 말씀을 모두 기억하고 있나요? 오늘 성경 이야기에서 **에스라가 하나님의 말씀을 읽자, 백성은 그들의 잘못을 깨달았다**는 것을 배웠어요. 성경은 우리의 마음을 변화시킬 힘이 있어요. 말씀을 기억하며 우리의 삶을 변화시킬 하나님을 기대하길 바라요.

보물 지도

성경 복습

[준비물] 성경

① 아이들에게 성경에서 느헤미야 8장 1~12절을 찾으라고 한다.

② 한 명씩 돌아가며 찾은 성경 구절을 읽게 한다.

③ 성경 구절을 다 읽으면 인도자가 성경 이야기와 관련한 질문을 한다.

1 에스라는 얼마나 오랫동안 율법책을 읽었나요?

새벽부터 정오까지 (느 8:3)

2 하나님의 말씀을 읽자 사람들은 어떻게 했나요?

몸을 굽혀 얼굴을 땅에 대고 하나님을 경배하며 울었다 (느 8:6, 9)

3 에스라는 우는 사람들에게 무엇이라고 말했나요?

울거나 슬퍼하지 말고 좋은 음식을 먹고 단 음료를 마시며 축하하라고 말했다 (느 8:9~10)

4 사람들은 왜 기뻐했나요?

하나님의 말씀을 깨달았기 때문이다 (느 8:12)

— 하나님은 하나님의 백성이 죄를 짓자 그들의 땅에서 쫓아내셨어요. 하지만 신실하시고 사랑과 자비가 많으신 하나님은 그들을 고향으로 돌아오게 하셨어요. **에스라가 하나님의 말씀을 읽자, 백성은 그들의 잘못을 깨달았어요.** 하나님의 말씀은 강력해서 우리 삶을 변화시켜요. 성경은 예수님이 '말씀'이라고 말해요. 예수님은 우리를 위해 십자가에서 죽으시고 다시 살아나셨어요. 예수님을 믿으면 하나님은 우리 마음을 변화시키고 새 생명을 주세요!

탐험하기

성경을 읽어요

[준비물] 학생용 교재 61쪽, 81쪽 '약속 스티커', 연필

① 아이들에게 성경을 읽을 구체적인 시간과 읽을 분량을 정해 성경 읽기표에 쓰라고 한다.

TIP 성경 읽기를 강요하거나 분량을 정해 주기보다 스스로 할 수 있도록 돕는다.

② 계획한 것을 지킬 때마다 81쪽 '약속 스티커'를 차례로 붙여 그림을 완성하는 것이라고 안내해 준다.

— **에스라가 하나님의 말씀을 읽자, 백성은 그들의 잘못을 깨달았어요.** 그리고 모든 백성이 손을 들고 "아멘, 아멘"이라고 말하며, 하나님을 높여드리기 시작했어요. 우리도 하나님의 말씀을 읽고 하나님의 크고 놀라운 뜻을 알게 되길 바라요. 우리가 하나님의 말씀을 가까이할 때, 하나님께 영광을 돌릴 수 있어요.

요일	읽을 시간	읽을 말씀	오늘의 약속 스티커
일			
월			
화			
수			
목			
금			
토			

하나님의 말씀은 우리의 힘! *

[준비물] 빨대, 종이컵, 고무줄, 일회용 우산비닐, 유성펜

① 아이들에게 일회용 우산비닐에 “여호와로 인하여 기뻐하는 것이 너희의 힘이니라”라고 쓰게 한다.

② 비닐을 종이컵 위에 씌우고, 고무줄로 고정하게 한다. 종이컵 바닥에 빨대가 들어갈 정도의 작은 구멍을 뚫고 빨대를 꽂는다.

③ “여호와로 인하여 기뻐하는 것이 너희의 힘이니라”라고 외친 후, 빨대로 바람을 불어 넣는다.

④ 팽팽해진 일회용 우산비닐에 적힌 말씀을 확인하게 한다.

— **에스라가 하나님의 말씀을 읽자, 백성은 그들의 잘못을 깨달았어요.** 에스라는 기뻐하며 잔치를 열자고 했지요. 우리도 기뻐하며 축하할 이유가 있어요. 바로 우리를 죄에서 구원하기 위해 예수님이 십자가에서 죽으시고 다시 살아나셨기 때문이에요. 성경은 예수님이 말씀이 되셨다고 말해요(요 1: 14 참조). 말씀이신 예수님으로 인해 기뻐하며 온 힘을 다해 하나님을 사랑하길 바라요.

차근차근 점토 빚기 *

[준비물] 점토, 그림 카드(교회, 학교, 영화 캐릭터 등 다양한 그림)

① 아이들을 둥글게 앉히고, 한 명씩 돌아가며 점토를 주물러 공동 작품을 만들어야 한다고 말해 준다.

② 첫 번째 아이에게 무엇을 만들어야 하는지 그림 카드를 보여 주고, 1분 동안 점토로 만들게 한다.

③ 1분이 지나면 다음 아이에게 첫 번째 아이가 만들던 점토를 주고, 그림 카드를 보여 주면서 이어서 만들라고 한다.

④ 마지막 아이까지 위의 과정을 반복하며 작품을 완성하게 한다.

TIP 작품 난이도에 따라 시간을 자유롭게 변경해도 좋다.

— **하나님은 약속을 지키시나요? 신실하신 하나님은 언제나 약속을 지키세요.** 하나님의 백성은 죄를 지어 포로가 되었지만, 하나님은 그들을 고향으로 데려와 성벽과 성전을 완성하게 하셨어요. 그리고 그들을 향해 **에스라가 하나님의 말씀을 읽자, 백성은 그들의 잘못을 깨달았어요.**

보물 상자

나만의 기록장

[준비물] 학생용 교재 62쪽, 연필이나 색연필

① 성경을 읽기 좋은 장소는 어떤 곳인지 물어본다.

② ‘나의 성경 읽기 방’을 만든다면 어떻게 만들고 싶은지 그림이나 글로 표현해 보라고 한다.

③ 성경을 읽는 것이 얼마나 중요한지 말해 주고, 성경 읽기를 실천할 수 있도록 독려한다.

— 하나님의 말씀에는 사람들을 변화시키는 힘이 있다는 사실을 에스라는 잘 알았어요. **에스라가 하나님의 말씀을 읽자, 백성은 그들의 잘못을 깨달았어요.** 하나님의 말씀은 우리를 변화시키는 힘이 있어요! 말씀이신 예수님을 기억하며, 매일 성경을 읽길 바라요. 그러면 하나님은 우리 삶을 변화시키실 거예요!

메시지 카드

이번 주 메시지 카드로 부모님과 함께 오늘 배운 성경 이야기를 나누어 보라고 한다.

기도

하나님, 하나님의 말씀은 힘이 있어 우리의 삶을 변화시킵니다. 성경을 가까이하고, 하나님의 말씀을 사랑하는 우리가 되게 해 주세요. 성경을 읽는 것이 어려울 때, 지혜를 주셔서 하나님의 말씀을 잘 깨닫고 마음에 차곡차곡 쌓을 수 있도록 도와주세요. 예수님의 이름으로 기도합니다. 아멘.

11

말라기가 하나님의 말씀을 전했어요

말 1~4장

단원 암송

여호와의 인자와 긍휼이 무궁하시므로
우리가 진멸되지 아니함이니이다
이것들이 아침마다 새로우니
주의 성실하심이 크시도소이다
(애 3:22~23).

성경의 초점

하나님은 약속을 지키시나요?
신실하신 하나님은 언제나 약속을
지키세요.

본문 속으로

바벨론에서 여러 해 동안 포로 생활을 하던 하나님의 백성이 유다로 돌아왔습니다. 그들은 성전과 예루살렘을 둘러싼 성벽을 다시 세우기 위해 열심히 일했고 많은 반대를 견뎌냈습니다. 사람들은 하나님이 그들을 회복시키실 것이라고 믿었습니다. 하지만 한동안 아무 일도 일어나지 않았습니다. 기다리는 동안 그들은 가뭄과 경제적인 불안을 겪었습니다. 하나님의 백성은 아마도 하나님의 축복을 전혀 느끼지 못했을지도 모릅니다.

그들은 "하나님을 섬기는 것이 헛되니 만군의 여호와 앞에서 그 명령을 지키며 슬프게 행하는 것이 무엇이 유익하리요(말 3:14)"라고 말했습니다. 그들은 하나님의 돌보심을 의심했습니다. 그들은 오래지 않아 우상 숭배, 탐욕, 위선, 오만 그리고 가난한 사람을 학대하는 등 포로 생활의 원인이 되었던 죄에 다시 빠져들었습니다. 하지만 하나님은 하나님의 백성을 계속 사랑하셨습니다. 그들을 포기하지 않고 거룩한 구원 계획을 이루어 가셨습니다.

하나님은 말라기 선지자를 통해 하나님의 백성에게 말씀하셨습니다. 말라기는 구약 시대의 마지막 선지자로 바벨론 포로 생활이 끝난 지 100년 가까이 지났을 때 하나님의 백성에게 하나님의 말씀을 전했습니다. 하나님은 말라기를 통해 백성에게 경고하셨습니다.

하나님은 백성이 축복받지 못하는 것은 하나님이 돌보시지 않아서가 아니라고 말씀하셨습니다. 하나님은 하나님 백성의 죄악을 드러내시면서 그들의 행동이 저주받을 만했다는 점을 분명히 밝히셨습니다. 하나님의 백성은 뉘우치고 하나님께 돌아가야 했습니다. "내 이름을 경외하는 너희에게는 공의로운 해가 떠올라서 치료하는 광선을 비추리니(말 4:2)"라고 하나님은 말씀하셨습니다.

주 제

말라기는 타락한 하나님의 백성에게 회개하라고 경고하며 예수님이 오실 것이라고 예언했어요.

가스펠 링크

말라기는 하나님이 보내실 심부름꾼에 관해 말했어요. 이 심부름꾼인 세례 요한은 사람들에게 회개하고 예수 그리스도를 맞이할 준비를 하라고 외칠 거예요. 그리고 예수님은 구원이라는 좋은 소식을 전하실 거예요.

●● 티칭 포인트

말라기의 예언 이후 400년 동안 하나님이 침묵하셨다고 아이들에게 설명해 주십시오. 하나님은 하나님의 백성에게 말씀하지 않으셨습니다. 이 시기가 지나고 예수님이 오시기 직전, 선지자인 세례 요한이 침묵을 깨면서 신약이 시작됩니다. 세례 요한이 예수님을 향해 "보라 세상 죄를 지고 가는 하나님의 어린 양이로다(요 1:29)"라고 한 말은 듣는 사람 모두에게 희망을 주었습니다.

말라기가 하나님의 말씀을 전했어요 말 1~4장

유다 사람들은 약속된 땅으로 돌아왔고, 하나님의 축복을 받을 준비가 되어 있었어요. 백성은 하나님의 축복을 기다렸지만 아무 일도 일어나지 않았어요. 여전히 생활은 힘들었고 하나님이 그들을 정말 사랑하시는지 의심도 들었어요. 백성은 점점 하나님을 섬기는 일에 게을러졌어요.

하나님은 하나님의 백성을 사랑하셨고, 그들이 거룩해지고 하나님께 온전히 순종하기를 바라셨어요. 그래서 하나님은 말라기 선지자를 통해 백성에게 경고하셨어요. 그들의 죄에 관해 말하면서 하나님께 돌아오라고 부르셨어요.

제사장들도 하나님께 순종하지 않았어요. 백성들이 하나님을 섬기도록 인도해야 하는데 그들은 하나님께 제일 좋은 제물을 바치는 대신, 홈치거나 장애가 있거나 병든 동물들을 바쳤어요. 하나님은 그들에게 "나는 기쁘지 않다. 너희 제물을 받지 않겠다"라고 말씀하셨어요. 또한 "백성이 나를 따르도록 도와주는 것이 너희 일이다. 백성은 너희의 가르침을 따른다. 하지만 너희는 그들이 나에게서 멀어지게 만들었다. 너희는 그들에게 잘못된 것들을 가르쳤다"라고 말씀하셨어요.

하나님은 죄인을 벌주고 의인에게는 상을 줄 심판의 날이 오고 있다고 백성에게 경고하셨어요. 하나님은 "내 심부름꾼을 보내겠다. 그가 내 앞에서 길을 닦을 것이다"라고 말씀하셨어요. 그는 아주 중요한 일을 하게 될 심부름꾼이에요. 바로 하나님이 약속하신 구세주를 맞이하도록 사람들을 준비시키는 일이에요.

그다음 하나님은 사람들이 저지르는 나쁜 일들에 관해 말씀하셨어요. 하나님은 "너희는 내 것을 훔쳤다!"라고 말씀하셨어요. 사람들은 그들 재산의 일정한 몫을 하나님께 드리지 않았어요. 그들의 재산은 모두 하나님에게서 받은 선물인데 말이에요. 하나님은 "너희 재산의 10분의 1을 가져와 보아라. 그리고 내가 셀 수 없을 정도로 많은 복을 주는지 안 주는지 나를 시험해 보아라!"라고 말씀하셨어요.

어떤 사람들은 하나님에 관해 잘못된 말을 전했어요. "하나님을 섬기는 일은 쓸데없는 일이다. 제멋대로 사는 사람들이 우리보다 더 잘 산다"라고 말이에요.

하지만 하나님을 경외하는 사람들도 있었어요. 하나님은 그들을 지켜보시며 "그들은 내 소유가 될 것이다. 내가 그들을 아낄 것이다"라고 말씀하셨어요.

하나님은 "보라, 악한 사람들은 모두 멸망할 날이 반드시 올 것이다. 그러나 나를 경외하는 사람들은 외양간에서 풀려난 송아지처럼 펄쩍펄쩍 뛸 것이다"라고 말씀하셨어요.

말라기는 사람들에게 인내하라고 말했어요. 하나님은 그들을 잊지 않으세요. 하나님을 섬기고 따르면 하나님이 약속하신 대로 하나님의 백성을 구원하시는 날에 행복해질 거예요.

가스펠 링크

말라기 선지자는 하나님의 심부름꾼으로서 백성에게 회개하라고 말했어요. 말라기는 하나님이 보내실 또 다른 심부름꾼에 관해서도 말했어요. 이 심부름꾼인 세례 요한은 사람들에게 회개하고 예수 그리스도를 맞이할 준비를 하라고 외칠 거예요. 그리고 하나님의 마지막 심부름꾼인 예수님은 구원이라는 좋은 소식을 전하실 거예요.

가스펠 준비 10~20분

환영

도착하는 아이들을 반갑게 맞이하고 헌금, 출석, QT 등을 확인하며 격려한다. 새 친구가 있다면 소개한다. 편안한 분위기에서 안부를 물으며 오늘의 말씀과 관련된 화제로 이야기를 나눈다. 누군가에게 헌 옷을 받은 적이 있는지 물어본다. 쓰던 물건을 좋아하는지, 새 물건을 좋아하는지 물어본다. 자발적으로 대화에 참여하도록 이끈다.

예) "누군가 쓰던 물건을 받아 사용한 적이 있나요?", "쓰던 물건을 좋아하나요?", "새 물건을 좋아하나요?" 등.

— 돈을 들여 새 옷을 샀지만, 옷이 금세 작아져 입지 못할 때가 있어요. 그런 옷들을 다른 사람에게 주는 것은 낭비를 줄이는 정말 좋은 방법이에요. 하지만 오늘 성경 이야기는 우리가 더 이상 갖고 싶어하지 않은 물건을 하나님께 제물로 바치는 것은 좋지 않다고 말해요. 우리는 하나님께 최고의 것을 드려야 해요!

마음 열기

'ㅁ'으로 시작하는 단어 *

DVD **[준비물] "'ㅁ'으로 시작하는 단어**'(지도자용 팩), **연필이나 색연필**

① "ㅁ'으로 시작하는 단어'를 인원수만큼 출력해 둔다.

② 아이들에게 "ㅁ'으로 시작하는 단어'를 적어 보라고 한다.

③ 적은 단어들을 함께 말해 본다.

— 정말 많은 단어를 생각해 냈군요! 오늘 성경 이야기는 말라기에요. 말라기는 구세주를 위해 길을 준비할 하나님의 심부름꾼에 대해 이야기했어요. 어떤 이야기인지 궁금하지요? 곧 들어 보기로 해요.

길을 준비하라 *

[준비물] 마스킹 테이프, 인형 여러 개

① 마스킹 테이프로 예배실 바닥에 길을 표시한다. 길을 따라 중간에 인형들을 놓는다.

② 아이들을 2명씩 짝짓고, 한 명은 눈을 감으라고 한다.

③ 다른 아이는 자신의 짝이 길을 따라 모든 인형을 수거할 수 있도록 목소리로 길을 안내하라고 한다.

④ 서로 역할을 바꾸어 놀이를 계속하게 한다.

— 오늘 우리는 성경 이야기를 통해 구원자를 위해 길을 준비하러 올 하나님의 심부름꾼에 관해 배울 거예요. 그 사람은 누구일까요? 함께 알아보기로 해요.

가스펠 설교

15~30분

들어가기

[준비물] 운동복, 번호판, 핀

운동복을 입고, 가슴에 번호판을 달고 들어온다. 땀을 흘리는 것처럼 얼굴이나 몸에 물을 뿌려도 좋다.

안녕하세요, 여러분! 방금 철인 3종 경기를 끝내고 돌아왔어요. 제가 바랐던 대로 되지는 않았지만 그래도 좋은 경험이었어요. 경기를 시작하면서 수영을 할 때는 정말 훌륭했어요. 돌고래처럼 물살을 헤쳤지요! 사실 누구보다 먼저 자전거에 올라탔어요. 자전거 페달을 밟으면서 기분이 꽤 좋아지기 시작했어요. 제 뒤를 쫓는 다른 경쟁자들이 저보다 한참 뒤에 있어서 느긋하게 달려도 좋겠다고 생각했지요. 사실 우승은 보장되어 있었어요. 제 생각이긴 하지만요. 하하. 그런데 달리기를 하면서 문제가 시작되었어요. 몸이 점점 지쳤지만, 여전히 뒤따라오는 사람이 없었어요. 잠시 쉬어야겠다고 마음먹고 걷기 시작했어요. 다른 경쟁자가 나타날 때까지만 걷자고 생각했지요. 그래서 계속 걸었어요. 그런데! 알고 보니 경기에 집중하지 않는 바람에 결승선 6.5km 앞에서 길을 잃었지 뭐예요! 엉뚱한 장소에 있었기 때문에 경기를 제대로 끝내지 못했어요. 하지만 그 일 덕분에 이 성경 이야기가 생각났어요.

연대표

느헤미야가 예루살렘의 소식을 들었어요

예루살렘 성벽을 다시 세웠어요

에스라가 하나님의 율법을 읽었어요

말라기가 하나님의 말씀을 전했어요

여러분도 알다시피 하나님의 백성은 고향에 돌아와 살게 되었어요. 그들은 하나님이 약속하신 메시아를 기다렸지만, 시간이 흐를수록 점점 게을러졌어요. 제가 경기에 집중하지 않고 잠시 게으름을 피웠듯이 그들은 하나님께 예배 드리는 것을 게을리 했어요. 게으름 때문에 하나님께 순종하는 길에서 벗어나게 되었지요. 감사하게도 하나님은 그들을 바로잡을 누군가를 보내셨어요. 바로 '말라기'에요! 연대표에서 이번 주 성경 이야기를 가리킨다. 오늘의 성경 이야기 "말라기가 하나님의 말씀을 전했어요"를 함께 들어 보아요.

성경의 초점

2단원 '성경의 초점'을 함께 말해 볼까요? **하나님은 약속을 지키시나요? 신실하신 하나님은 언제나 약속을 지키세요.** 모두 정말 잘 기억하고 있군요!

성경 이야기

DVD 말라기 1~4장을 펴고, 설교 영상(지도자용 팩)을 보여 주거나 이야기 성경을 들려준다.

유다 사람들은 많은 어려움과 고통을 겪었어요. 그들은 수십 년 동안 포로 생활을 했고, 돌아온 고향은 이전과 달랐어요. 그들은 하나님이 축복해 주시기를 기다렸지만 아무 일도 일어나지 않았어요. 그들에게는 인내심이 좀 더 필요했어요. 하지만 하나님의 백성은 점점 하나님을 예배하는 일에 게을러지기 시작했어요. 하나님이 명령하신 대로 흠 없는 제물을 드리는 대신 흠이 많고 다친 동물들을 제물로 드렸어요. 진정한 한 분이신 하나님께 최고의 제물을 드리지 않았어요. 말라기는 하나님의 심부름꾼이었어요. **말라기는 타락한 하나님의 백성에게 회개하라고 경고하며 예수님이 오실 것이라고 예언했어요.** 하나님은 사람들로부터 마땅히 최고의 예배를 받으셔야 했고, 거기에 미치지 못하면 무엇이든 죄였어요. 말라기는 하나님이 보내실 또 다른 심부름꾼에 관해서도 말했어요. 이 심부름꾼인 세례 요한은 사람들에게 회개하고 예수 그리스도를 맞이할 준비를 하라고 외칠 거예요. 그리고 예수님은 구원이라는 좋은 소식을 전하실 거예요.

말라기서는 구약성경의 마지막 책이에요. 말라기 이후 사람들은 400년 동안 하나님의 말씀을 듣지 못했어요. 사람들이 어떻게 느꼈을지 상상할 수 있나요? 그들은 아마 하나님이 그들을 버렸다고 생각했을 거예요. 하지만 하나님이 멀리 계신 것처럼 느껴지더라도, 하나님은 여전히 그의 백성을 사랑하세요.

하나님은 이스라엘과 이 세상을 위해 구세주를 보내 약속을 지키셨어요! 바로, 예수님이 오셨지요! 400년의 침묵 후 하나님은 드디어 약속하신 구세주를 보내셨어요. 예수님은 하나님의 아들이시고, 완전한 순종이 어떤 모습인지 보여 주셨어요. 예수님은 하나님을 예배하는 일을 게을리하지 않으셨고, 아무것도 숨기지 않으셨어요. 예수님은 온전히 하나님께 순종해 생명까지 내어놓으셨어요. 하나님은 예수님을 죽은 자 가운데서 살리셨고, 이제 우리는 예수님을 믿으면 하나님과 영원히 함께 살 수 있게 되었어요!

찬양

주의 인자와 긍휼이

하나님의 크신 계획 결코 변하지 않고
하나님의 크신 사랑 영원무궁하네
주의 구원 바라보며 잠잠히 나아갈 때에
주님 신실하심은 우릴 인도하시리

주의 인자와 긍휼이 무궁하시며
아침마다 새롭고 늘 새로우시나니
주의 백성들은 기뻐하고
주의 선하심은 영원하심이라

주의 사랑은 영원하며 주의 말씀은 능력이시라
주의 약속을 믿는 자는 구원함을 얻을 것이라

주의 인자와 긍휼이 무궁하시며
아침마다 새롭고 늘 새로우시나니
주의 백성들은 기뻐하고
주의 선하심은 영원하심이라.

DVD ※지도자용 팩 또는 가스펠 프로젝트 홈페이지(gospelproject.co.kr)에서 이용하세요.

복음 초청

성경과 45쪽 복음 초청 가이드를 이용해서 아이들에게 그리스도인이 되는 법을 설명해 준다. 따로 상담해 줄 사람을 정해 주고 궁금한 점이 있으면 물어보도록 격려한다.

이 시간 예수님을 마음에 모시고 싶은 친구는 함께 기도해요.

기도

하나님, 끝까지 하나님의 백성을 사랑하시는 하나님을 찬양합니다. 죄로 인해 멀어진 백성에게 은혜를 베풀어 돌아올 기회를 주시니 감사합니다. 무엇보다 우리를 구원하기 위해 예수님을 보내 주셔서 정말 감사합니다. 날마다 하나님의 사랑을 마음에 새기고, 예수님이 다시 오실 날을 준비하며 살 수 있도록 우리를 인도해 주세요. 예수님의 이름으로 기도합니다. 아멘.

적용

TIP 설교 도입이나 적용으로 활용하거나 영상을 본 뒤 소그룹으로 나누어 풍성한 대화를 이어 갈 수 있습니다.

잘못된 행동인 줄 알면서도 했다가 들킨 적이 있나요?

DVD 적용 예화 영상(지도자용 팩)을 보여 준다.

잘못된 행동을 하다 들켰을 때 어떻게 해야 할지 아이들에게 물어본다. 진심으로 반성하는 태도를 보여 주려면 어떻게 해야 하는지 이야기를 나눈다. 예수님이 언젠가 다시 오시겠다고 약속하셨다는 사실을 아이들에게 말해 준다.

예수님이 오시면 이 세상을 심판하고 예수님을 거부한 사람들을 벌주실 거예요. 또한 예수님은 모든 죄와 고통을 없애고, 예수님을 믿는 사람들이 하나님과 영원히 함께 살 수 있도록 세상을 새롭게 회복시키실 거예요.

돌아오실 예수님을 맞을 준비를 한다는 것이 무슨 뜻인지 아이들에게 물어본다.

우리는 언젠가 하나님의 약속들이 모두 이루어질 것이라는 사실을 알아요. 예수님은 약속하신 대로 다시 오실 거예요. 예수님을 믿으면 우리는 예수님이 다시 오실 순간을 기쁘게 기다릴 수 있어요.

가스펠 소그룹

10~20분

나침반

말씀의 길

[준비물] 2단원 암송(109쪽), 도화지, 매직, 마스킹 테이프

① 2단원 암송 구절을 어절 단위로 나누어 도화지에 각각 적어 둔다.

② 예배실 바닥에 마스킹 테이프로 길을 표시한다. 종이를 뒤섞어 아이들에게 골고루 나누어 준다.

③ 아이들에게 길을 따라 암송 구절을 순서대로 놓으라고 한다.

④ 길을 따라 걸으며 암송 구절을 큰 소리로 읽으라고 한다.

⑤ 종이를 한데 모으고, 아이들과 암송 구절을 한목소리로 외워 본다.

— 예레미야애가 3장 22~23절은 하나님의 인자와 긍휼이 넘치도록 많고, 아침마다 새롭다고 말해요. 말라기는 하나님의 백성이 예수님을 맞이하도록 준비시키려 했어요. 하지만 어떤 사람들은 그의 말을 들었고, 어떤 사람들은 듣지 않았어요. 우리는 예수님이 다시 오실 것을 기대하며, 예수님을 맞이할 준비를 하길 바라요.

보물 지도

말라기 선지서 바로 읽기

[준비물] 학생용 교재 66쪽, 연필, 성경

① 아이들에게 질문에 대한 답을 말라기 1~4장에서 찾아 적으라고 한다.

② 아이들이 문제를 다 풀면 함께 정답을 확인한다.

③ 오늘의 성경 이야기를 정리하며, 여호와의 날이 이르기 전에 돌이키고 회개하라고 하신 말씀을 이야기해 준다(말 4:6 참조).

1 유다 백성은 어떻게 하나님을 예배했나요?

제사장들은 최고의 동물이 아니라 훔치고, 절뚝거리고, 병든 동물들을 하나님께 바쳤다 (말 1:13)

2 하나님은 누구를 보내 주님의 길을 준비하게 하겠다고 하셨나요?

하나님은 구세주를 보낼 길을 준비하기 위해 사자(심부름꾼)를 보내겠다고 하셨다 (말 3:1)

3 하나님의 백성이 제물이나 십일조를 드리지 않을 때 하나님은 그들이 무엇을 한 것이라고 말씀하셨나요?

재산 일부를 바치지 않고 하나님의 것을 도둑질 했다고 말씀하셨다 (말 3:8~9)

4 아낌없이 드린다면 하나님이 어떻게 하겠다고 약속하셨나요?

너희에게 복을 쌓을 곳이 없게 부어 주겠다고 말씀하셨다 (말 3:10~12)

5 하나님은 올바른 사람들이 무엇처럼 보일 것이라고 말씀하셨나요?

즐겁게 뛰노는 송아지 (말 4:2)

— 하나님의 백성은 고향으로 돌아와 하나님의 축복과 약속하신 구세주를 기다렸어요. 그러다가 또다시 하나님에게서 멀어졌어요. 그들은 하나님 예배하기를 게을리했어요. **말라기는 타락한 하나님의 백성에게 회개하라고 경고하며 예수님이 오실 것이라고 예언했어요.** 하나님은 구세주를 보내 그들을 구원하고 악한 사람들을 멸망시키겠다는 하나님의 계획을 다시 말씀하셨어요. 예수님은 구세주세요! 예수님은 십자가에서 죽으시고 죽은 자 가운데서 살아나셔서 죄와 죽음을 이기셨어요. 언젠가 예수님이 다시 오셔서 모든 악을 없애고 세상의 모든 잘못된 것을 바로잡으실 거예요.

탐험하기

말라기로 보는 하나님의 계획

[준비물] 학생용 교재 67쪽, 연필

① 그림 암호를 풀어 문장을 완성하게 한다.

② 완성된 문장이 무엇을 의미하는지 이야기해 준다.

— 말라기 3장 1절을 보면, 말라기 선지자는 세례 요한과 예수님에 대해 예언했어요. 세례 요한이 누구인지 알고 있나요? 맞아요. 그는 예수님의 길을 예비했던 사람이에요. 마태복음 3장 11절에서 세례 요한은 자신은 물로 세례를 베풀

지만, 예수님은 능력이 많으시고 성령과 불로 세례를 베푸신다고 말하며 예수님에 대해 선포했어요. 하나님의 약속대로 예수님은 이 땅에 오셨고, 예수님은 우리의 모든 죗값을 치르기 위해 생명을 내놓으셨어요. **하나님은 약속을 지키시나요? 신실하신 하나님은 언제나 약속을 지키세요.**

성경 도서관 *

[준비물] '성경 도서관'(뒷 표지 또는 지도자용 팩), **성경, 연필이나 색연필**

① '성경 도서관'을 출력 또는 복사하여 준비해 놓는다.

② 구약성경 중에 빠진 부분을 채워 넣으라고 한다.

③ 순서대로 성경을 펼쳐 구약성경 39권을 살펴보게 한다.

— 우리는 창세기부터 말라기까지 구약성경에 나타난 예수님의 이야기를 살펴보았어요. 구약성경에는 총 39권의 책이 있는데, 이 책들은 모두 앞으로 오실 예수님에 관해 이야기해요. 그리고 오늘 배운 말라기는 하나님이 예수님의 오실 길을 준비할 한 심부름꾼을 먼저 보내실 것이라고 알려 주어요.

최고의 것을 드려요 *

[준비물] 1부터 10까지 기록된 카드, 바구니(한 팀당 2개), **이름표**('하나님', '저금통')

① 바구니에 '하나님', '저금통'이라고 각각 이름표를 붙여 둔다.

② 아이들을 2명씩 짝짓고, 카드와 바구니 2개를 각각 나누어 준다. 받은 카드를 뒤집어 두라고 말해 준다.

③ 인도자가 신호를 하면, 동시에 카드 한 장을 뒤집으라고 한다.

④ 상대방보다 큰 숫자가 나오면 '하나님' 바구니에 카드를 넣고, 상대방보다 작은 숫자가 나오면 '저금통' 바구니에 카드를 넣으라고 한다.

⑤ '하나님' 바구니에 있는 카드 숫자의 총합이 높은 팀이 이긴다.

— 하나님은 최고의 것을 받기에 합당한 분이세요. 오늘 말씀을 기억하며 나는 어떤 모습으로 하나님을 섬기고 예배하는지 돌아보세요. 그리고 다음주에는 최선의 모습으로 하나님을 예배하기로 함께 다짐해요.

보물 상자

나만의 기록장

[준비물] 학생용 교재 68쪽, 연필이나 색연필

① 하나님이 주신 모든 것에 감사하며 십일조를 드릴 수 있다고 말해 준다.

② 십일조는 10개 중 1개를 드리는 것이 아니라, 10개를 대표할 수 있는 가장 귀한 1개를 드리는 것이라고 말해 준다.

③ 가진 것 중에 하나님께 드릴 수 있는 최고의 십일조를 그림이나 글로 표현해 보라고 한다.

TIP 물질, 시간, 재능 등 다양한 부분에서 하나님께 드릴 십일조를 생각해 보게 한다.

— 말라기는 사람들에게 마음을 다하지 않고 게으르게 하나님을 예배한다고 경고했어요. 그는 죄를 회개하고 하나님께 돌아가라고 말했어요. 세상을 심판하고 악을 무너뜨릴 구세주가 오실 길을 준비하기 위해 하나님이 심부름꾼을 보내실 것이라고 하나님의 말씀을 전했어요. 예수님은 우리를 죄에서 구원하기 위해 십자가에서 죽으시고 다시 살아나셨어요. 예수님은 악을 무너뜨리고, 망가진 것을 모두 바로잡으며, 최후의 심판을 하기 위해 언젠가 다시 오실 거예요. 그때 예수님을 믿는 사람들은 모두 새로워진 세상에서 하나님과 영원히 함께 살 거예요.

메시지 카드

이번 주 메시지 카드로 부모님과 함께 오늘 배운 성경 이야기를 나누어 보라고 한다.

기도

하나님, 말라기 이야기를 통해 마음을 다해 하나님을 예배해야 한다는 것을 배웠습니다. 우리의 죄를 용서받고 하나님께 나아가 예배할 수 있도록 예수님을 보내 주셔서 감사합니다. 예수님이 다시 오실 날을 준비하며, 마음과 정성과 뜻을 다해 하나님을 더 사랑할 수 있도록 우리를 인도해 주세요. 예수님의 이름으로 기도합니다. 아멘.

그는 때와 계절을 바꾸시며
왕들을 폐하시고 왕들을 세우시며
지혜자에게 지혜를 주시고
총명한 자에게 지식을 주시는도다

다니엘 2장 21절

여호와의 인자와 긍휼이 무궁하시므로
우리가 진멸되지 아니함이니이다
이것들이 아침마다 새로우니
주의 성실하심이 크시도소이다

예레미야애가 3장 22~23절

칼럼

어린이 사역: 목표 설정과 기대

"아직 멀었어요?" 아이들을 데리고 장거리 자동차 여행을 해 본 사람은 누구나 이런 질문을 받았을 것입니다. 차에 탄 아이들은 지금 지나가는 곳에는 흥미가 없고, 기대하는 목적지에 도착하기까지 남은 시간을 견딜 만한 인내심이 금방 바닥나서 보통은 투덜거리기 일쑤입니다.

"아직 멀었어요?"라고 물은 다음에는 대개 "얼마나 더 가요?"라고 묻습니다. 아이들이 이런 질문을 하면 어른들은 징징거린다고 해석하기 쉽지만, 사실 이런 질문에는 자신의 상황을 제대로 통제하지 못하고 여행 계획도 파악하지 못하는 아이들의 마음이 담겨 있습니다. 운전석에 앉은 어른은 얼마나 더 가야 하는지, 도착하는 데 몇 시간이나 걸리는지, 어떤 이정표들을 지나갈지 알고 있습니다. 하지만 뒷좌석에 있는 아이들은 아무것도 모릅니다. 여행에 따라나서기는 했지만 자세한 내용은 모릅니다. 그러면서도 자동차가 달리는 동안 장시간 좌석 벨트를 맨 채 꼼짝 못할 뿐이지요.

사역의 운전대를 잡은 사람으로서 여러분도 비슷한 상황에 있습니다. 하지만 이번에는 아이들이 아니라 성인인 팀원들, 리더와 자원봉사자들을 태우고 있습니다. 여러분과 함께 사역을 하는 사람들은 어디로 가고 있는지, 목적지까지 얼마나 걸리는지 알고 싶어 합니다.

불행히도 많은 어린이 사역자들은 목표가 무엇인지 정리가 되어 있지 않아서, 목표에 대한 질문에 구체적이고 명확하게 대답하지 못합니다. 그들은 한 방향으로, 열정과 목적을 가지고 움직이지만, 명확하게 정의되고 입증된 목적지 없이 사역을 하는 경우가 많습니다.

어린이 사역에서 목표를 정하고 따라가는 일은 장거리 자동차 여행에서 내비게이션을 사용하는 것만큼이나 필수적입니다. 그래서 여러분이 방향을 제대로 잡을 수 있도록 몇 가지 조언을 하려고 합니다.

1. 마음속에 목적지를 정해 놓고 시작하십시오.

내비게이션으로 길을 찾으려면 먼저 가고 싶은 목적지의 주소를 입력해야 합니다. 사역의 목표를 정할 때도 여러분이 원하는 장기적인 성과가 무엇인지 확정한 후 시작하는 것이 좋습니다.

어린이 사역에서 장기적인 성과를 정하는 것은 사역이 끝났을 때 아이들이 갖게 되길 바라는 특정한 영적 특징을 설명하는 일일 수도 있습니다. 영적 특징을 설명할 때, 겉으로 보여지는 행동이 아닌, 그들의 마음 상태와 그들이 하나님의 뜻과 말씀과 그들을 향한 하나님의 방법에 반응하는 민감도를 바탕으로 설명하십시오. 궁극적으로 우리는 그저 바르게 행동하는 아이가 아닌, 성숙한 그리스도인으로 성장하도록 아이들을 교육해야 합니다.

2. 기록하고 나누십시오.

목표를 확정했다면 기록하십시오. 목표를 문서로 남기는 것은 목표가 분명하고 간결한지, 쉽게 소통되는지 확인하기 좋은 방법입니다. 다른 사람들과 목표에 대해 나누기도 수월해집니다.

어린이 사역의 목적을 공개적으로 밝히면 다른 사람들도 그 여정에 참여할 수 있게 됩니다. 또한 목적에서 벗어나지 않고 계속해 나갈 수 있는 책임감이 생깁니다.

3. 기간별 목표를 설정하십시오.

크고 위대하게 느껴지는 장기 목표를 확실히 이루기 위해, 중간 점검을 위한 단기 목표들을 연이어 설정하십시오. 단기 목표는 가능한 많이 만드는 것이 좋습니다. 물론 아래 소개하는 기간별 목표가 모두 필요하지 않을 수도 있습니다. 그러나 여러분의 목표를 세분화하는 것은 선포한 목적을 뒷받침하기 위해 하는 모든 일을 확신할 수 있게 도와줍니다.

<기간별 목표>

- 9년 목표—교회학교 교육과정의 체계를 잡을 수 있습니다.
- 3년 목표—일반적인 교육과정 기간과 어린이 발달단계에 따른 기간으로, 유아부터 유치원생까지, 1학년부터 3학년까지, 4학년부터 6학년까지로 나뉩니다.
- 1년 목표—한 해, 또는 각 학년의 아이들이 1년 동안 성취해야 하는 목표를 정합니다.
- 분기 목표—해당 분기에 강조하고 집중해야 하는 목표를 정합니다.
- 월간 목표—해당 월에 집중해야 하는 것이 무엇인지 설정합니다.
- 주간 목표—해당 주에 전해야 할 성경의 진리, 개념 또는 원칙을 정합니다.
- 시간 목표—매주 다양한 프로그램들이 있습니다. 각 프로그램을 진행하는 시간마다 특별한 목적을 가지고 아이들을 훈련하고, 각 시간마다 목표가 있어야 합니다.
- 부분 목표—각 시간은 성경 이야기, 예배, 학습 활동 등 작은 부분들로 나뉘어 있습니다. 선생님들은 각 부분의 목적을 이해해야 합니다.

4. 계획을 지키고 실행하십시오.

목표를 설정하고 전략을 확인했다면 그 계획을 고수하시기 바랍니다. 어린이 사역을 하다 보면 불안해지면서 연간, 분기, 월간 혹은 주간의 교육과정을 바꾸어야겠다고 느낄 때가 많습니다. 인터넷 커뮤니티에 "이번 달에는 무슨 교육과정을 사용하고 있나요?"라고 질문을 올리는 때도 있을 것입니다. 이런 것들은 여러분의 사역에 피해를 줍니다. 교육과정마다 가르침에 대한 기본적인 접근 방법이 다를 뿐만 아니라, 교육과정을 너무 자주 바꾸면 전체 계획을 파악하지 못하게 됩니다.

장기 목표에는 여러분이 사용하는 교재로 아이들을 어떻게 가르칠지에 관한 현명한 계획이 포함되어 있어야 합니다. 3년 기간의 연대기순 커리큘럼을 사용하면 아이들이 초등학생 어린이 부서에 있는 동안 두 차례에 걸쳐 성경을 훑을 수 있게 됩니다.

사역의 목표를 명확하게 규정하면 어떤 활동, 수단, 전략을 활용할지 혹은 피할지 평가할 멋진 시각을 가지게 됩니다.

여러분의 목표를 함께 나누면 부모님부터 자원봉사자들까지 모든 사람이 자신이 어떤 일에 참여하고 있는지 확실하게 알게 됩니다. 그리고 그 여정에 함께하는 사람들에게 계속해서 최신 정보를 제공하면 모두가 좀 더 즐거운 여행을 즐길 수 있습니다.

척 피터스(Chuck Peters)는 LifeWay Kids의 기획·관리부 디렉터입니다.
중고등, 어린이 부서에서 섬기고 있습니다.

가스펠 프로젝트 구약 커리큘럼

1권	2권	3권	4권	5권	6권
위대한 시작 창	**하나님의 구출 계획** 출, 레, 신	**약속의 땅** 민, 수, 삿, 룻, 삼상	**왕국의 성립** 삼상, 삼하, 왕상, 욥, 잠, 전, 시	**선지자와 왕** 왕상, 왕하, 사, 호, 욘 욜, 렘, 대하, 겔	**돌아온 하나님의 백성** 단, 스, 에, 느, 말
1단원 **창조의 하나님**	1단원 **구출하시는 하나님**	1단원 **구원의 하나님**	1단원 **왕이신 하나님**	1단원 **계시하시는 하나님**	1단원 **보호하시는 하나님**
1. 하나님이 세상을 창조하셨어요 2. 하나님이 사람을 창조하셨어요 3. 죄가 세상에 들어왔어요 4. 가인과 아벨이 제물을 드렸어요 5. 하나님이 노아와 가족을 구해 주셨어요 6. 바벨탑을 쌓던 사람들이 흩어졌어요	1. 모세를 부르셨어요 2. 이스라엘 백성은 재앙을 피했어요 3. 홍해를 건넜어요 4. 광야에서 시험을 치렀어요 5. 금송아지를 만들었어요	1. 약속의 땅을 정탐했어요 2. 놋뱀을 바라보았어요 3. 하나님이 여리고 성을 주셨어요 4. 죄 때문에 아이 성 전투에서 졌어요 5. 여호수아가 당부했어요	1. 이스라엘이 왕을 달라고 했어요 2. 하나님이 사울을 버리셨어요 3. 다윗이 골리앗과 맞섰어요 4. 다윗과 요나단이 친구가 되었어요 5. 하나님이 다윗과 언약을 맺으셨어요 6. 다윗이 하나님께 죄를 지었어요	1. 엘리야가 악한 아합을 꾸짖었어요 2. 엘리야가 이세벨을 피해 도망쳤어요 3. 하나님이 나아만을 고쳐 주셨어요 4. 하나님이 이사야를 부르셨어요 5. 이사야가 메시아에 대해 외쳤어요 6. 히스기야는 남 유다의 신실한 왕이었어요	1. 다니엘과 친구들이 하나님께 순종했어요 2. 사드락, 메삭, 아벳느고를 구하셨어요 3. 다니엘을 구하셨어요 4. 하나님의 백성을 고향으로 데려오셨어요 5. 성전을 다시 지었어요
2단원 **언약을 맺으시는 하나님**	2단원 **거룩하신 하나님**	2단원 **다스리시는 하나님**	2단원 **지혜의 하나님**	2단원 **포기하지 않으시는 하나님**	2단원 **공급하시는 하나님**
7. 하나님이 아브라함과 언약을 맺으셨어요 8. 하나님이 아브라함을 시험하셨어요 9. 하나님이 다시 약속하셨어요	6. 십계명 "하나님을 사랑하라" 7. 십계명 "이웃을 사랑하라" 8. 성막을 지었어요 9. 하나님이 제사의 규칙을 정해 주셨어요 10. 오직 하나님만 예배해요 11. 하나님의 언약을 기억해요	6. 사사들이 이스라엘 백성을 이끌었어요 7. 드보라와 바락이 노래했어요 8. 겁쟁이 기드온이 용사가 되었어요 9. 삼손에게 다시 힘을 주셨어요 10. 룻과 나오미를 보살펴 주셨어요 11. 하나님이 사무엘에게 말씀하셨어요	7. 솔로몬이 지혜를 구했어요 8. 지혜는 하나님께로부터 와요 9. 솔로몬이 성전을 지었어요 10. 이스라엘이 둘로 나뉘었어요	7. 하나님이 호세아를 통해 북 이스라엘에 사랑을 전하셨어요 8. 하나님이 요나를 통해 니느웨에 사랑을 전하셨어요 9. 하나님이 요엘을 통해 남 유다에 사랑을 전하셨어요	6. 에스더를 왕비로 세우셨어요 7. 에스더를 통해 하나님의 백성을 구하셨어요 8. 느헤미야가 예루살렘의 소식을 들었어요 9. 예루살렘 성벽을 다시 세웠어요 10. 에스라가 하나님의 율법을 읽었어요 11. 말라기가 하나님의 말씀을 전했어요
3단원 **언약을 지키시는 하나님**			3단원 **주권자이신 하나님**	3단원 **새롭게 하시는 하나님**	
10. 야곱이 복을 가로챘어요 11. 하나님이 야곱에게 새 이름을 주셨어요 12. 요셉이 이집트로 팔려 갔어요 13. 요셉의 꿈이 이루어졌어요			11. 솔로몬이 산다는 것에 대해 생각했어요 12. 욥이 고난을 받았어요 13. 하나님을 찬양해요	10. 하나님이 예레미야를 부르셨어요 11. 예레미야가 새 언약에 대해 예언했어요 12. 남 유다 백성이 포로로 잡혀갔어요 13. 에스겔이 앞날의 소망을 이야기했어요	

※세부 내용은 사정에 따라 변경될 수 있습니다.

※ **절기 교재**

부활절

1. 예수님의 승리의 입성
2. 예수님이 십자가에 못박히시고 부활하셨어요

성탄절

1. 천사가 마리아와 요셉에게 말했어요
2. 예수님이 태어나셨어요
3. 박사들이 예수님을 찾아왔어요

구약6 성경의 초점과 주제

1단원 **보호하시는 하나님**

Q 어떻게 해야 하나님께 순종할 수 있나요?

A 하나님이 우리에게 순종할 힘을 주신다고 믿어요.

1. 다니엘은 하나님께 순종하기 위해 왕이 정한 음식을 먹지 않았어요.
2. 하나님은 불 속에 던져진 사드락, 메삭, 아벳느고와 함께 하셨고, 그들을 구해 주셨어요.
3. 다니엘은 하나님께 신실했고, 하나님은 그를 구하셨어요.
4. 하나님이 고레스왕의 마음을 바꾸셔서 이스라엘 백성이 고향으로 돌아오게 하셨어요.
5. 하나님은 하나님의 백성이 성전을 다시 짓도록 도우셨어요.

2단원 **공급하시는 하나님**

Q 하나님은 약속을 지키시나요?

A 신실하신 하나님은 언제나 약속을 지키세요.

6. 에스더는 자기 민족을 돕기로 했어요.
7. 하나님은 하나님의 백성을 구하기 위해 에스더를 사용하셨어요.
8. 느헤미야는 하나님의 백성이 예루살렘 성벽을 다시 세울 수 있도록 도와 달라고 하나님께 기도했어요.
9. 하나님은 느헤미야가 하나님의 백성을 이끌고 예루살렘 성벽을 다시 세우게 하셨어요.
10. 에스라가 하나님의 말씀을 읽자, 백성은 그들의 잘못을 깨달았어요.
11. 말라기는 타락한 하나님의 백성에게 회개하라고 경고하며 예수님이 오실 것이라고 예언했어요.